Connais-toi toi-même
PAR
LA MORPHOLOGIE
ET LA GESTUELLE

Luc Uyttenhove

Connais-toi toi-même
PAR
LA MORPHOLOGIE
ET LA GESTUELLE

EDITIONS DE LA SEINE

SOMMAIRE

CINQUIEME PARTIE
ATTITUDES ET DEMARCHES

PREMIERE PARTIE

LE VISAGE

ET LA FORME PREMIERE
DEVIENT VISAGE

La forme première du visage est impersonnelle et asexuée. Elle est tête d'ange, ni garçon ni fille, et n'explique pas la personnalité. Or, le visage du nouveau-né va prendre du volume et du relief. Comprendre le contenu par l'observation du contenant est un travail inverse de celui du sculpteur qui tente, en taillant la pierre et en façonnant la pâte, de donner au matériau choisi une forme qui parle.

La matière première – terre, glaise, plâtre qu'il faudra pétrir, et marbre, ivoire, bronze qu'il faudra meurtrir – sera travaillée par les mains de l'artiste : la nature. Et la masse informelle sera ciselée, gravée, fouillée d'ouvertures, agrandie de motifs, ornée d'attributs qui la feront devenir visage.

QU'EST-CE QUE LA BEAUTE, L'ESTHETIQUE, LA SEDUCTION

La nature obéit à des canons, comme le sculpteur obéit aux siens, afin que la forme soit accueillie comme harmonieuse. Elle le sera si les dimensions ont des divisions et des proportions conformes à des idéaux de beauté susceptibles de devenir canons.

L'idée de beau est relative. Est-ce une perfection, un magnifique, un admirable, un sublime qui fait naître de l'admiration ? Est-ce de la grâce, de l'élégance, du charme, ce quelque chose dans les mouvements et les formes, qui éveille une fraîche émotion, un trouble tendrement sexualisé ?

La beauté est-elle réellement dans le modèle que l'on voit ou est-elle déjà dans notre esprit, amenée par des sentiments qui n'ont rien à voir avec l'apparence ? On dit que l'amour est aveugle, il est donc possible d'être laid et pourtant d'être vu beau !

« PAS DE COULEURS, DES NUANCES »
(Verlaine)

Peu de formes sont idéales selon les canons de la beauté : égalité des trois étages, triplicité des proportions. Il y a toujours une arête pour rendre anguleux un arrondi et une rondeur pour attiédir un angle. Ainsi le veulent le jeu des nuances et la dualité masculin-féminin.

Le découpage d'un visage en plusieurs composantes permet une rédaction synthétique puisqu'il autorise l'assemblage d'éléments distincts et singuliers qui, à l'instant où ils sont associés, forment un portrait unique.
Ce n'est pas tant la coexistence des deux formes de base droite/ronde qui est importante, que la manière dont les liaisons entre ces pré-formes sont faites. Il y a un art dans la soudure des contraires, qui relève de l'orfèvrerie et de l'alchimie.

Une personnalité, pour être vraie, ne doit pas être peinte avec des couleurs pures jusqu'à être brutales, mais doit être pastellisée dans une fusion et profusion de nuances.
Ainsi en est-il pour la forme d'un visage qui n'est jamais ou tout à fait carré ou tout à fait rond, mais est un amalgame de formes carrées et rondes.
« Pas de couleurs, des nuances... », écrivait Verlaine. C'est ainsi que les deux formes de base qui entrent en jeu servent de support à une infinité de formes diverses, de la même manière que les sept couleurs de Newton, violet, indigo, bleu, vert, jaune, orangé, rouge, se mélangent, se superposent en de multiples teintes.
Rechercher la définition de la beauté conditionne une grande partie du comportement. La beauté ne sert à rien

d'autre qu'à faire naître des sentiments « esthétiques ». Ce mot apprécié dans son sens premier de « connu, senti et compris au moyen de sensations ».

Voir un « beau visage » éveille des sentiments qui, à priori, ne satisfont pas les besoins fondamentaux de l'homme : boire, manger, procréer, dormir... Les réactions à « l'esthétique » sont essentiellement sentimentales et sexuelles. Elles ne s'expliquent que par des comparaisons, en grande partie involontaires, avec des clichés fabriqués de proportions idéales, enregistrés dans l'inconscient au fil des expériences et de l'éducation du goût et de la sensibilité et de stimulations personnelles.

Un visage provoque toujours un sentiment esthétique attractif ou répulsif. C'est à cet instant qu'apparaissent les difficultés propres à l'espèce humaine. L'homme est tenu par ses capacités dites « intellectuelles » qui l'amènent à démêler ce qui est embrouillé et à se faire des idées qui, bien comprises, permettront un choix approprié.

Prenons un exemple. La vision d'une chatte pour un chat, et inversement, se passe de commentaires intellectuels. Le chat ne pense pas « que cette chatte est belle », car toutes les chattes se ressemblent et sont belles dans leur forme organique.

C'est l'attraction sexuelle sous-jacente qui fait sélectionner telle personne plutôt qu'une autre.

La séduction prend souvent sa source sur l'aperçu d'un visage. Le corps dans sa totalité n'intervenant qu'en un deuxième temps. Le/la partenaire est choisi parce que « sa beauté personnelle » a fait naître un sentiment amoureux. Question d'excitations hormonales !

A ce sujet, remarquons que nombre de couples se forment uniquement sur cette rencontre de deux visages sans qu'interviennent des qualités morales, des souhaits et des espérances échangés, les tendances profondes de chacun...

La liaison est ainsi faite entre le visage et les sentiments. Mais on peut encore rétrécir cette constatation en considérant que l'étincelle première entre le physique et le sentiment se fait par le regard et que le premier « coup d'œil » est déterminant.

Un poète du XIVe siècle a écrit : « L'on dit bien vrai que l'amour ne regarde pas avec les yeux... ». Un autre persiste en écrivant : « Otez à l'amour son bandeau... »

Nombre de poètes « qui sont des voyants », selon la formule de Baudelaire, ont senti et expliqué que le regard est le tout essentiel et absolu qui permet d'établir la communication.

Un physiognomoniste doué, poète et plein d'humour pourrait affirmer : « Regardez-moi afin que je voie vos yeux et croise votre regard et je vous dirai qui vous êtes ! ».

DE LA PREMIERE CELLULE AU VISAGE HUMAIN

Cet ouvrage ne donnera pas d'explications sur le pourquoi et le comment des formes d'un visage. Ces réflexions sont du ressort des scientifiques, des médecins et des morphopsychologues.

Les intentions de ce livre ne sont pas savantes. Elles souhaitent seulement éveiller une curiosité : celle de mieux observer et comprendre les relations entre une physionomie – les formes d'un visage – et un caractère.

N'est-il pas passionnant de suivre le cheminement du premier visage – première apparence de vie, informelle, intégralement molle et multiforme dans ses inachèvements – au visage de l'*homo* dit *sapiens*.

La forme d'un visage – comme toute forme vivante – est malléable.

Remontons ensemble dans le temps. A l'origine, il y a une masse gélatineuse (protoplasme) flottant à la surface des eaux chaudes des mers. Il fallait à cette matière vivante des propriétés de plasticité et de déformation pour s'adapter aux pressions, variations et influences de toutes sortes qui modifiaient son milieu de vie.

A condition que les excitations reçues fussent supportables, cette gélatine répondait aux perturbations qui la déséquilibraient par des réactions qui mettaient en jeu des énergies chimiques provenant des molécules qui la composaient.

Plus la cellule réagissait avec force et efficacité contre le milieu ambiant perturbateur, plus elle faisait preuve de vitalité. Et de protoplasme, elle est devenu unicellulaire, puis pluricellulaire.

C'est ainsi que les énergies en lutte contre les phénomènes perturbateurs du milieu ont, à la longue, provoqué des processus de transformation. Et cela à l'image d'une goutte d'eau qui transperce une pierre en tombant des millions de fois à la même place, ou d'un galet devenant rond parce que mille et mille fois roulé par les vagues.

Cette masse spongieuse et vivante, pour continuer à vivre, à croître et à se reproduire, a besoin de se nourrir, soit manger et respirer. La nourriture est essentielle à la conservation et à l'expansion des cellules. Pour ce faire, il fallait des portes de communication entre l'extérieur et l'intérieur.

La tête, qui contient le cerveau et les organes des sens, a des « couloirs » qui communiquent avec l'extérieur. La bouche est le vestibule de l'appareil abdominal, et le nez celui de l'appareil respiratoire et thoracique.

Puis sont apparues les sensations, nées d'excitations visuelles et auditives. Elles informent les cellules de la nature de l'environnement. Les yeux et les oreilles sont devenus les couloirs de communication avec l'appareil cérébral.

Le premier visage humain résulte d'un combat entre l'individuel et le milieu, et mieux qu'une victoire, c'est l'adaptation de l'individuel au milieu. Certes, l'individuel a peut-être perdu quelque originalité en abdiquant devant les forces de la nature mais, au sortir des luttes, des oppositions et des difficultés de toutes sortes, c'est lui qui est le vainqueur. Du moins le devrait-il, puisqu'il arrive à tirer des enseignements de ses défaites !

N'oublions jamais qu'entre la masse gélatineuse et le visage de l'*homo sapiens*, il n'y a pas de différence de nature mais seulement des complexités, des spécialisations et des complications en plus.

UNE CELLULE, DEUX CELLULES... DEJA UNE DUALITE

Morphologiquement, une tête commence par une esquisse, une région « céphalique » qui n'est pas différenciée ni séparée du corps.

La tête porte la bouche et les organes sensoriels spécialisés (nez, yeux, oreilles).

Puis une cérébralisation s'organise lentement, progressivement, jusqu'au moment où le réseau des ganglions cérébroïdes, puis le cerveau, sont en place. La tête est devenue pensante, capable d'intégrer, de coordonner, d'exploiter les messages reçus.

Le corps et la tête se sont développés de manière symétrique : deux yeux, deux oreilles..., ce qui permet à l'homme de se situer dans son environnement.

Un visage est un « tout » harmonieux qui englobe une dualité – celle de la théorie des hémifaces, qui démontre que chaque côté d'un visage reproduit une personnalité différente.

Les forces intérieures des deux moi, masculin-féminin, animus-anima, ont des préférences. La première pour la droite et la seconde pour la gauche. De leur association équilibrée naît un moi complet.

A titre indicatif, rappelons que l'asymétrie d'un visage humain n'est pas comparable à celle d'une éponge qui, n'existant que par quelques contractions de surface, n'a pas besoin de retrouver sa route.

LES PROPORTIONS IDEALES D'UN VISAGE

Polyclète, sculpteur grec de l'an 480 avant J.-C., créa avec sa statue le *Doryphore* – le *Porteur de lance* – un système de proportions idéales qui fait encore loi de nos jours,

Les proportions établies par ce sculpteur entrent dans la définition du canon de la beauté. Du corps à la tête, le principe des proportions idéales fut conservé et il apparut qu'un rectangle idéalement quadrillé donnait les proportions « canons » d'une tête humaine.

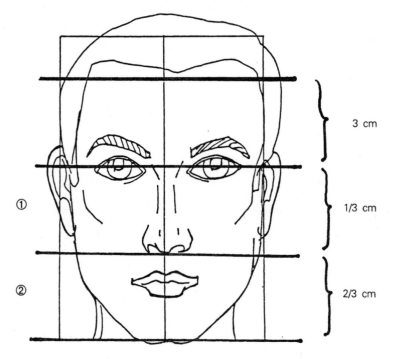

Le front sert de module.

Sa hauteur (dans notre exemple, 3 cm) est à reporter deux fois en descendant vers le menton : des yeux à la base du nez (1), et de la base du nez au menton (2). Si le visage entre dans le cadre ainsi fait, il est idéalement bien proportionné.

Quant à la largeur, la même distance doit exister entre l'arête du nez et le centre de chaque oreille, et entre l'arête du nez et la bouche.

Nanti de ces dimensions, en hauteur et en largeur, le visage ne peut qu'être beau.

Ainsi dessiné, le visage est « calligraphique ». Comme en graphologie, ce qui est hors calligraphie prouve que la personne a une personnalité propre, qu'elle est authentique puisque non conforme au masque de la beauté idéale.

Et là est toute la richesse d'une personnalité : dans ses différences qui font son authenticité.

LES DEUX FORMES DE BASE :
RONDE, CARREE

FORME DE BASE RONDE

2.

   Traits de caractère en qualités : adaptable, aimable, affectueux, altruiste, chaleureux, conciliant, dévoué, docile, doux, féminin, indulgent, maniable, paisible, patient, sentimental, souple, tendre, tolérant...

Traits de caractère en faiblesses : affecté, amorphe, apathique, coquet, capricieux, dolent, efféminé, enfantin, enjôleur, inconsistant, infidèle, lascif, léger, mou, négligent, nonchalant, passif, paresseux, soumis, puéril, négligé....

FORME DE BASE CARREE

Traits de caractère en qualités : actif, accrocheur, affirmatif, anguleux, âpre, assuré, autoritaire, courageux, combatif, « du caractère », concret, déterminé, direct, droit, carré, discipliné, entier, équitable, exécutant, énergique, fort, ferme, franc, honnête, lutteur, positif, passionné, réaliste, obstiné, résistant, rassurant, sérieux, sévère, solide, strict, stoïque, tenace, viril...

Traits de caractère en faiblesses : abrupt, agressif, blessant, braqueur, brutal, dictateur, difficile, dogmatique, cassant, catégorique, draconien, dur, froid, implacable, incisif, pur, opposant, orgueilleux, têtu, opportuniste, explosif, coléreux, sauvage, violent...

FORME DE BASE MIXTE

Traits de caractère en qualités : d'une manière générale, association des traits de caractère rond et carré en une synthèse harmonieuse.

Mais aussi, actif et patient, affirmatif et tolérant, courageux et souple, discipliné et commandeur, lutteur et maniable, strict et conciliant...

Traits de caractère en faiblesses : association des traits de caractère rond et carré en une synthèse inharmonieuse. Mais aussi agité, ambivalent, angoissé, bizarre, double, désordonné, fragile nerveusement, inconstant, indécis, insatisfait, irréfléchi, lunatique, révolté, variable...

LES 2 ORIENTATIONS SPATIALES : DILATE, RETRACTE

FORME DE BASE RONDE, DE TENDANCE DILATEE

Traits de caractère en qualités : les traits de caractère sont nuancés par les influences caractérologiques de la tendance *dilatée*. A savoir : bon vivant, gourmand, confiant en soi, démonstratif, disponible, enthousiaste, communicatif, épicurien, expansif, généreux, optimiste, sensuel...

Développement des besoins de communication et d'échanges, ouverture à autrui, adaptation au monde extérieur, exigences sensorielles développées, vie instinctive forte.

Traits de caractère en faiblesses : les traits de caractère sont nuancés par les influences caractérologiques de la tendance *dilatée*. A savoir : avide, cabotin, confus, dispersé, dispendieux, distrait, divaguant, envahissant, exhibitionniste, coléreux, exigeant, paresseux, prétentieux, poussif, prodigue, remuant, sans-gêne, vaniteux, vulgaire, impudique, pédant, phraseur, sensuel à l'extrême.

Développement excessif des tendances extraverties, sensorielles et instinctives.

FORME DE BASE RONDE, DE TENDANCE RETRACTEE

Traits de caractère en qualités : les influences caractérologiques *rétractées,* en qualités sont : altier, aristocratique, créatif, distingué, élégant, idéaliste, imaginatif, indépendant, original, élévation d'esprit, sensible à l'esthétique, aux choses de l'esprit.

Tendance à ne pas extérioriser ses sentiments, ses spontanéités.

Introversion.

Traits de caractère en faiblesse : les influences caractérologiques *rétractées,* en faiblesses sont : affecté, arrogant, artificieux, bluffeur, composé, dissimulé, guindé, maniéré, mondain, mystificateur, narcissique, pédant, orgueilleux, obsédé, précieux, suffisant, outrecuidant, susceptible, insultant, impertinent...

Tendance à une introversion excessive et mal vécue.

FORME DE BASE CARREE, DE TENDANCE DILATEE

Traits de caractère en qualités : traits de caractère de base *carrée* et influences caractérologiques de la tendance *dilatée*, en qualités.

D'une manière générale : ardent, bouillant, chaleureux, enthousiaste, entreprenant, imaginatif, rayonnant, « du tempérament »...

Tendance à l'extraversion sur des bases *carrées* d'une manière harmonieuse.

Traits de caractère en faiblesses : traits de caractère de base *carrée* et influences caractérologiques de la tendance *dilatée* en faiblesses.

D'une manière générale : accapareur, confus, compliqué, désinvolte, écrasant, envahissant, exalté, gesticulant, impatient, inquiet, orgueilleux, paradant, vaniteux, asocial, tourmenté... Tendance à l'extraversion sur des bases *carrées*, d'une manière inharmonieuse.

ILLUSTRATION LES TROIS ETAGES

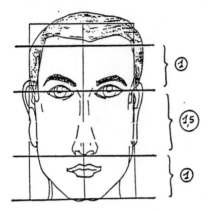

Zone ou Etage central
prédominant

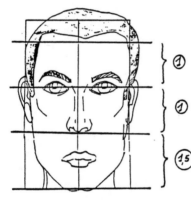

Zone ou Etage inférieur
prédominant

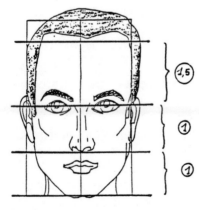

Zone ou Etage supérieur
prédominant

FORME DE BASE CARREE, DE TENDANCE RETRACTEE

Traits de caractère en qualités : traits de caractère de base *carrée* et influences caractérologiques de la tendance *rétractée* en qualités.

D'une manière générale : austère, calme, constant, contrôlé, décidé, déterminé, digne, équitable, ferme, invariable, juste, méticuleux, moral, net, prudent, non influençable, réfléchi, rigide, sévère, strict, rigoureux, volontaire, pur...

Tendance à l'introversion d'une manière harmonieuse.

Traits de caractère en faiblesses : traits de caractère de base *carrée* et influences caractérologiques de la tendance *dilatée* en faiblesse.

D'une manière générale : absolu, absurde, arbitraire, autoritaire, calculateur, cassant, compassé, défiant, despote, dictateur, dur, égoïste, hautain, indifférent, inflexible, inhibé, intransigeant, méfiant, obsédé, obstiné, orgueilleux, tyrannique, oppressant, brutal, inadapté, refoulé...

Tendance à l'introversion d'une manière inharmonieuse.

LES TROIS ETAGES :
CEREBRAL, AFFECTIF, INSTINCTIF

LA REGLE DE TROIS DES PROPORTIONS IDEALES

La règle de trois qui définit les proportions idéales d'un visage est une affaire d'appréciation et de rapport numérique où n'entrent pas de notions d'art.

On dira de tel visage qu'il est harmonieux et beau mais on ne dira pas qu'il est artistique. Puisque l'art n'est pas mais que la beauté demeure, il faut trouver une autre source de références. La plus spontanée, la moins élaborée, la plus vierge de trucage et la plus proche de l'original semble être la nature.

Le rapport nature/beauté-proportion d'un visage est variable dans le temps et en fonction des valeurs que l'on donne au mot *beauté*.

Imaginons qu'un peintre du temps des Australopithèques reproduise sur les parois d'une grotte, la tête d'un homme de sa tribu.

Le visage choisi comme modèle sera celui considéré par le peintre comme le plus représentatif de la beauté que propose la nature. Les proportions d'une telle tête seront totalement différentes de celles données par les canons du XXe siècle.

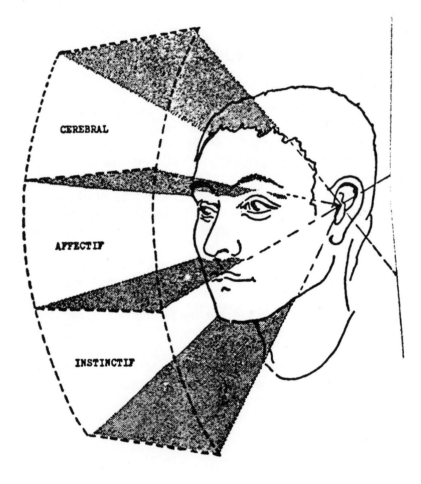

CEREBRAL

AFFECTIF

INSTINCTIF

LES TROIS ETAGES DU VISAGE

LE CERVEAU (étage cérébral)

La vie cérébrale du visage individuel. L'activité mentale. Les facultés intellectuelles.

LES RELATIONS INTER-HUMAINES (étage affectif)

Les contacts avec le visage collectif, le monde extérieur.

Les ouvertures vers les autres. Les yeux, le nez, les oreilles sont les trois organes concernés.

LE TEMPERAMENT (étage instinctif)

L'absorption des « matériaux », nourriture entre autres et organe de langage. Le contact direct, les sensations, la vie physique et instinctive du visage, les intérêts sensoriels.

L'ECHELLE CEREBRALE

1 – **Front imaginaire** : risque d'erreurs de perception, de jugement et de raisonnement. Abstraction et mysticisme.

2 – **Front haut** : aptitudes élevées, jugement, réflexion, perspicacité, pénétration, vivacité intellectuelle, intuition et idéalisme.

3 – **Front moyen** : intelligence pratique, pondération et bon sens, conceptions réalistes.

4 – **Front bas** : capacités peu élevées, platitude, lourdeur, blocage vers le matériel.

L'ECHELLE AFFECTIVE

1 – L'œil permet d'interpréter le monde extérieur et d'envoyer des images au cerveau. L'œil voit, cligne, perçoit, regarde ce qui est différent.

2 – Le nez explore le monde extérieur et informe le cerveau. Il flaire, renifle, sent, respire... Les odeurs ont un rôle important dans les communications.

3 – L'oreille permet de capter les sons de l'extérieur mais joue également un rôle essentiel dans le sens du maintien et de l'équilibre. Elle écoute, entend, se prête, perçoit, peut être sourde...

L'ECHELLE INSTINCTIVE

1 – Bouche petite, mince : peu de besoins, réservé, « manger du bout des lèvres ».

2 – Grande bouche, grosses lèvres : besoins importants, appétits développés, gloutonnerie, gourmandise, « un appétit de loup ».

3 – Bouche et menton confondus : bas de visage plus proche de la tête de poisson, de l'animal, de l'homme primitif.

INTERPRETATIONS

ETAGE SUPERIEUR : LE CEREBRAL

Traits de caractère en qualités : les traits de caractère indiqués dans les formes de base *ronde* et *carrée* doivent être associés avec les indications suivantes : actif intellectuellement, clarté d'esprit, agilité d'esprit, créativité, curiosité, imagination, sensibilité intellectuelle, spiritualité, audace, élévation d'esprit, fantaisie et indépendance de caractère.

Traits de caractère en faiblesses : les traits de caractère indiqués dans les formes de base *ronde* et *carrée* doivent être associés avec les indications suivantes : affectation, calcul, « combine », habile en expédients, inquiétude, intrigue, ruse, instabilité, nervosité, susceptibilité, utopie, vanité, snobisme...

ETAGE CENTRAL : L'AFFECTIF

Les traits de caractère en qualités : les traits de caractère indiqués dans les formes de base *ronde* et *carrée* doivent être associés avec les indications suivantes : affectivité développée, amabilité, accueil à autrui, tendance aux sentiments tendres, chaleureux, savoir-faire, souplesse, charme, spontanéité affective, sensibilité et émotivité développées.

Les traits de caractère en faiblesses : les traits de caractère indiqués dans les formes de base *ronde* et *carrée* doivent être associés avec les indications suivantes : affectivité débridée, angoisse, avidité affective, impulsivité, impressionnabilité, influençable, artifice, égoïsme, égocentrisme, intérêt, tromperie, exhibitionnisme, dispersion, confiance extrême...

ETAGE INFERIEUR : L'INSTINCTIF

Les traits de caractère en qualités : les traits de caractère indiqués dans les formes de base *ronde* et *carrée* doivent être associées avec les indications suivantes : ambition, créativité pratique, dynamisme, énergie, intensité de vie, volonté, puissance de caractère, de travail, solidité de caractère, autorité, esprit de décision, épicurisme, sens concret...

Les traits de caractère en faiblesses : les traits de caractère indiqués dans les formes de base *ronde* et *carrée* doivent être associés avec les indications suivantes : agressivité, avidité, grossièreté, arrogance, ambition démesurée, brutalité, prétention, vanité, angoisse, maladresse, matérialité, sensualité excessive...

GALERIE DES PORTRAITS

LE MENTON

« Partie saillante du visage, constituée par avance du maxillaire inférieur ».

Le menton termine le visage qui, sans lui, ressemblerait à une tête d'oiseau ou de poisson. L'os inférieur est devenu un outil broyeur, un socle pour dents, une demi-mâchoire. Les fossiles d'hominiens retrouvés au cours de fouilles montrent que le menton est apparu en même temps que l' « intelligence ».

Il est curieux de suivre le cheminement de la formation du menton. L'homme primitif – dont la tête est plus proche de celle du singe que de celle de l'homme du XXᵉ siècle – avait une gueule. Les siècles passant, les gueules se mirent à réfléchir et plus les idées se firent « intelligentes », plus le bas du visage se façonna en « menton ».

Une liaison existe entre le front et le menton : dans les rapports qui définissent une tête qualifiée harmonieuse. Un grand front et un petit menton et, inversement, un petit front et un grand menton sont inharmonieux.

Les caricaturistes le savent, puisque, pour stigmatiser par exemple « une brute, un instinctif », ils accentuent le carré du menton. Un exemple étant les Frères Dalton dans les albums de Lucky Luke.

Le menton dans sa structure solide sert à ancrer la tête, lourde de pensées, dans la paume de la main. Ce geste de repos d'une tête pensante est immortalisé par la sculpture du *Penseur* de Rodin.

Un geste insolite suppose une liaison entre la tête et le menton. Lorsque l'esprit doute, qu'il est en instance d'idées et d'inspirations, le geste spontané est de se gratter ou se caresser le menton. Et puisque l'humeur est à l'humour, suggérons que le menton « parle » lorsqu'il indique une direction, qu'il « exprime » des états de cœur et d'âme lorsqu'il tremble, chevrote, tremblote, frémit...

Le menton donne des indications sur la force des instincts. Heureusement, ceux-ci sont policés et civilisés par la volonté et la réflexion qui transforment la brutalité des impulsions primitives en fermeté et courage. Les instincts de combattre et de vaincre deviennent des capacités à l'affirmation de soi, de l'orgueil et de la discipline.

Menton carré

M.C. est réaliste, autoritaire, franc et entier. Il met ses idées et ses sentiments « au carré » de leur valeur. Il n'est donc pas étonnant qu'il ait la réputation d'être absolu, direct, mais aussi brutal et intransigeant.

Il met souvent trop de force dans l'expression de ses enthousiasmes et trop de catégorique dans ses prises de position. Il ressemble à un Vauban expert en angles aigus, en murailles au carré, sous prétexte de fortifications protectrices.

M.C. ne mâche pas ses mots. Quand il a des sentiments et des idées à exprimer, il les affirme, les assène, les donne bruts de décoffrage, allant droit au but qu'il s'est fixé. Même si ceux-ci s'avèrent être des chausse-trapes et des mâchicoulis ! Là est sa faiblesse : il écoute peu les conseils et « n'en fait qu'à sa tête ».

Il est dur en affaires, manque souvent de souplesse et de diplomatie, se fiant à ses énergies instinctives.

Ses générosités – car il en a naturellement – sont bourrues, fières et sans réserve. Il ne faut pas attendre de manifestations de douceur de M.C. Celles-ci lui semblent inutiles et désuètes car entrant dans la panoplie des faiblesses pardonnables à un enfant mais pas à un adulte digne de ce nom.

M.C. est autoritaire sans le savoir. Cette disposition est une qualité qui lui permet de faire aboutir ses projets. C'est aussi une faiblesse qui ne facilite pas ses relations avec son entourage.

Pour être meneur d'hommes affirmatif, compétent et efficacement ambitieux, il n'en est pas moins dur-dur ! Il est l'illustration de la phrase de Napoléon Iᵉʳ, Empereur des Français, écrivant : « L'homme fait pour l'autorité ne voit point les personnes ; il ne voit que les choses, leur poids et leur conséquence ! »

Menton petit

M.P. est délicate, ce qui la rend mélancolique puisque, comme le dit la fable « rien ne saurait la satisfaire ». Elle est réservée jusqu'à la timidité, scrupuleuse à l'extrême, ce qui est une élégante manière d'avouer une sensibilité très vive, trop vive.

M.P. est fort agréable à fréquenter et attachante à connaître. Elle passe inaperçue tant elle est modeste et simple. Elle vit à l'économie de ses sentiments, ne les affichant pas par délicatesse envers les autres, par crainte de les montrer.

Elle est plutôt silencieuse, souriante et aimable. Elle élude les questions trop précises et fait attention à ne pas livrer ses états d'âme. Elle n'a pas d'ambitions démesurées. Prudente dans ses espérances, sentimentale dans ses émotions, elle vit discrètement et silencieusement.

M.P. a une fâcheuse tendance à se décourager vite et à manquer de confiance en elle. Il ne s'agit pas d'un pessimisme noir ou d'une absence de volonté, mais d'un rapetissement du sentiment de sa propre valeur. Elle n'est limitée en rien, mais elle suppose l'être, elle n'est pas irrésolue, mais elle pense qu'elle peut l'être.

Comme une baisse d'énergies « en extérieur » joue en faveur d'un enrichissement des forces intérieures, M.P. se réalise en profitant de ses aptitudes à l'analyse, à l'observation et à la concentration.

Et c'est ainsi que M.P. est philosophe et artiste sans même le soupçonner. N'est-il pas dit que « la décision est une très belle chose mais que le vrai principe artistique c'est la réserve » (T. Mann).

Menton anguleux, pointu, en triangle

On ne sait jamais si M.A. va piquer, griffer, pincer ou si elle va s'en abstenir ! Elle est imprévue dans ses réactions et elle ressemble à une chatte trop nerveuse.

Elle est volontaire, mais d'une manière capricieuse. Influencée par des impulsivité et sensibilité vives, vite électrisées, vite souffrantes, elle a des réactions acérées qui blessent.

Elle a un instinct de félin pour écorcher vif par des mots, des silences, des demi-sourires et tout un arsenal d'ironie et d'esprit critique, son entourage. Elle est ainsi faite, qu'elle agresse qui elle affectionne le plus, pour évaluer les sentiments qu'on lui manifeste.

M.A. est perspicace et curieuse. Sa volonté, nuancée et vite mobilisée, lui sert de garde-fou pour se moquer et d'elle-même et d'autrui. Réceptive et impressionnable, elle est incisive et tranchante. La vie lui est un combat et elle se défend par des arguments satiriques et polémiques qu'elle aiguise à longueur d'inquiétudes.

Menton saillant, large, fort jusqu'à être proéminent

M.S. est volontaire et ambitieux. Il peut se le permettre car il a des qualités de chef. Sa résistance physique et morale est à toute épreuve ; il considère sérieusement et sincèrement qu'il a le devoir de l'utiliser en vainquant celle des autres. Il est autoritaire et dominateur, sans l'ombre d'un regret pour la sensibilité d'autrui.

Il réalise ses projets, ses idées et satisfait ses désirs personnels avec maestria. Il a d'ailleurs tendance à peu se préoccuper des besoins et des problèmes de son entourage, considérant qu'il faut repousser avec autorité les occasions d'être maladroitement influencé.

M.S. est orgueilleux. Il l'est avec respect lorsque la personnalité de ses interlocuteurs l'impressionne. Lorsqu'elle lui semble faible, il est intolérant et insupportable de brutale franchise. Il lui est difficile de nuancer ses comportements, il n'en a d'ailleurs pas le temps car il est en perpétuelle recherche de réalisation. Cette volonté de réussite et de progression ne va pas sans tension et fatigue nerveuse.

« Je suis venu, j'ai vu, j'ai vaincu ». Il y a du César chez M.S.! Lorsqu'il a décidé un projet, il s'y tient avec une ténacité exemplaire. Il peut en devenir agressif. Il appelle son art de jouer avec les décisions d'autrui, les « récréations » de sa volonté, car il prend un secret plaisir à se montrer contrariant et opiniâtre à l'excès.

M.S. dépasse en volonté et en énergie ceux qui l'entoure, et sa personnalité en relief se détache et tranche sur le commun des mortels.

Menton fuyant, rentrant

M.F. n'est pas un foudre de guerre. Il est indécis, méfiant. Il est oppressé par des pensées et des sentiments qu'il ne peut exprimer, ce qui le rend nerveux, inquiet, insatisfait. Il vit en position de retrait, apparemment incapable d'affirmer ses désirs et de faire acte de volonté.

Il ne fait pas étalage de ses énergies et enthousiasmes, au contraire, il évite les contacts et les circonstances qui l'obligeraient à faire acte de volonté et de décision.

Il a des attitudes de défense et de recul devant les réalités de la vie. Non qu'il soit lâche, mais il a des soupçons sur tout et sur rien et il n'est pas à l'aise pour exprimer ses sentiments. Il est fuyant par sentiment d'infériorité et il bat en retraite avant l'alarme car ayant l'impression – fausse – qu'il lui manque quelque chose pour être à égalité avec les autres.

Ayant honte de sa sensibilité et de ses inclinaisons qu'il juge trop affectives, il devient agressif. Il raisonne au lieu d'être raisonnable et s'enferme dans des froides positions qu'il pense excellentes pour sauvegarder son quant-à-soi.

M.F. dit rarement la vérité. Il n'est ni menteur ni sournois fondamentalement, mais il fait en sorte que ce qu'il pense ne soit pas découvert. Il dissimule sa pensée comme il cache ses joies et ses chagrins.

Si M.F. s'arrête de s'esquiver, l'on découvre des trésors de sensibilité, d'affection et d'émotivité réprimées. Il doit faire ce que conseille le poète Ramuz : « fuir dans le bon sens... fuir excentriquement et non concentriquement... », ce qui le rendrait moins attentif à *lui-même*. Il doit apprendre à disparaître mais en se faisant voir. Quel paradoxe !

Menton rond

M.R. a plus de volonté qu'il n'y paraît et moins qu'il le voudrait. Cette ambiguïté joue en sa faveur. Il peut, en effet, se faire pardonner ses manques de décisions quand il se sent mélancolique et pessimiste, et faire accepter ses mauvaises volontés lorsqu'il est maussade. En fait, ses volontés sont modelées par ses sentiments et ceux des personnes qu'il affectionne. Il peut être autoritaire mais il le sera souplement, en gommant les agressivités qui naîtraient d'affirmations trop prononcées.

M.R. est accommodant avec les exigences de son entourage. Il conserve son indépendance – qui est certainement son bien le plus précieux – en se moulant dans celle des autres, à condition qu'on le lui demande affectueusement. Son style de vie est flexible et adroit. Il n'aime pas les événements et les passions brutales. Il a d'ailleurs l'art de rendre malléables les êtres rigides et de faire fondre les démonstrations de volonté par trop catégoriques.

M.R. est social et s'intègre aisément dans les ambiances qu'il fréquente. Mais on se trompe lorsqu'on suppose que cette aisance à épouser les contours superficiels de la société va de pair avec une plasticité permanente aux influences. Il est diplomate et pas servile.

M.R. est romantique, ce qui ne veut pas dire romanesque. Il est passif devant certaines décisions à prendre, comme si sa raison et son libre arbitre se trouvaient en état de crise. Dans ce cas, un sentiment de fatalité l'envahit et il est dans un état affectif proche de celui des romantiques qui souffrent du « mal du siècle ».

Ces moments ne durent pas car il corrige les excès de sa sensibilité et de sa sentimentalité, ne souhaitant ni être dupe de ses passions, ni être soumis à une rigidité de vie.

M.R. considère que le plus court chemin entre un effort de volonté et le plaisir d'une réalisation passe par son bien-être.

Menton remontant « en galoche »

M.G. est têtu comme une mule. Il est opiniâtre et trouve les meilleurs opportunités pour obtenir ce qu'il désire.

Il est froid à la limite de l'ostentation et de l'exhibitionnisme tant il est affirmatif – surtout lorsque ses affirmations ne sont pas de mise –, dogmatique et tranchant avec ses assurances.

Il n'a pas toujours raison, loin de là, mais il « donne sa tête à couper » que ce qu'il prétend est plus que vrai et qu'il n'est pas possible de le contrer.

Il y a du dictateur dans ses attitudes qui font naître des enthousiasmes, mais il est trop nerveux et excessif pour qu'on le suivre jusqu'au bout de ses discours.

Il est courageux jusqu'à la témérité et il achève, en dépit de tous les obstacles, l'œuvre entreprise. Il va droit au but en s'opposant à tout ce qui entrave ses desseins et en s'acharnant parfois aveuglément à combattre ce qui lui résiste.

Il est difficile de savoir si ses persévérances sont œuvres d'obstination, d'orgueil ou d'opposition systématique à tout ce qui n'est pas sa volonté.

LE FRONT

« Partie supérieure de la face humaine, comprise entre les sourcils et la racine des cheveux et s'étendant d'une tempe à l'autre » (Le Robert).

Cet étage supérieur correspond aux réserves intellectuelles : pensée, réflexion, jugement, facultés diverses, imagination, connaissances... Plus les capacités intelligentes sont augmentées, plus le front s'est développé. C'est ce qu'on dit !

Le cerveau, en augmentant de volume donc, à priori, en augmentant ses facultés, a obligé le front à se développer en longueur, largeur et hauteur.

Lorsqu'une idée surgit ou qu'une solution est trouvée, le geste spontané est de se « frapper le front » avec la main. La relation entre « intelligence » et espace frontal est immédiate et irréfléchie, ce qui ne veut pas dire non raisonnable.

Nombre de locutions expliquent mieux que de longues dissertations le lien entre la tête-front et les capacités de jugement, les réserves d'idées. En voici quelques unes.

« Avoir de la tête » est efficace pour faire preuve de bon sens et de sang-froid. Il convient de ne pas l'avoir « trop dure » afin de comprendre facilement ce qui est dit. L'idéal est « d'avoir toute sa tête » afin de ne pas déraisonner et d'éviter de l'avoir « près du bonnet ». Attention au « coup de tête », même lorsqu'on en a « par-dessus la tête » et à ne pas « tomber sur la tête » afin de pouvoir continuer à « tenir tête » à la vie et aux autres.

Il ne faut cependant pas affirmer que seules les personnes ayant un « grand ou haut front » sont intelligentes, car cela serait tomber dans le piège facile qui consiste à s'arrêter à l'enveloppe (le front) sans voir la substance (la cervelle).

Front vertical-droit

F.V. a la faculté de quantifier. Il a la passion des ratios, il donne la priorité à la science triomphante, aux résumés statistiques et n'a qu'une déesse : la mathématique.

Il réfléchit et juge froidement, se servant habilement, mais non sans brutalité, de ses prédispositions à la raison pure pour atteindre ses buts. Il y a peu de place pour les sentiments dans ses capacités à dogmatiser et à rationaliser ce qui passe à portée de ses antennes. Cette occupation et préoccupation à vérifier – en vertu de la raison universelle – toute chose et à les faire cadrer avec des modules préétablis le rend intolérant.

Il n'admet que ce qu'il s'est prouvé être d'une rigoureuse logique et il ne comprend rien d'autre. F.V. a des préjugés, des critères et des vérités qui le rassurent. Des disciplines et des rationalités l'emprisonnent dans des idées toutes faites et dans de sentiments structurés sans âme qui vive.

Il a besoin des démonstrations qui expliquent le droit chemin entre deux idées et il se sent désemparé lorsque, d'aventure, des illogismes s'infiltrent au milieu de ses savoirs. Il est réduit à des crises de conscience et à inventer des pseudo-propositions. Et tous ces faux savoirs l'angoissent.

Il peut alors être froidement calculateur et hyperlogicien. Ne comprenant pas les propos d'autrui, il les contrarie à mauvais escient, se faisant contrariant a priori et contrarié a fortiori.

Front arrondi, bombé

F.A. se souvient de tout, analyse et observe tout. Il est toujours en instance de création bouillonnante. Il sait éclairer le futur au moyen de sa « bibliothèque » cérébrale et trouver des formules dans les vestiges de ses souvenirs pour favoriser le présent.

F.A. ne sait pas « par cœur ». Ses connaissances se situent à un niveau plus rationnel. Il a une mémoire humaine qui est, comme l'écrit Dickens « chargée de chagrins et de troubles... ».

F.A. est profondément attachant. Ses aptitudes à l'observation et à l'analyse sont bien classées et il dit le mot juste à sa juste place, mais il doit éviter de trop se fier à ses précieux atouts car il risque de tomber dans le piège de la facilité et de l'absolutisme. Le danger qui guette F.A. est « de porter sa mémoire comme un panier lourd et tous les souvenirs dedans comme des linges gorgés d'eau... » (Anne de Tourville).

F.A. trouve facilement des solutions aux problèmes qui se présentent à lui. Son esprit foisonne de moyens pour expliquer les choses, les êtres, les idées et les sentiments.

Son intelligence est comparable à ces lentilles convexes qui ont le privilège, avec leur regard busqué, d'agrandir la vision des choses et de concentrer en un point focal toutes les énergies.

Front large

F.L. a une intelligence solide, ouverte et non restrictive. Il conçoit large et donne à ses idées et à ses sentiments de l'amplitude, et il conçoit grand en ne perdant pas de vue les réalités.

Il redoute l'envolée des imaginations et des sentiments trop fiévreux – les siens et ceux des autres – et il craint les étroitesses de vue qui rapetissent le diamètre et le volume des réalisations possibles.

Ses connaissances sont étendues et sa mémoire est vaste. Ces qualités ne résultent pas de culture ou d'instruction mais d'acquis naturels. Il doit profiter de ces aptitudes pour approfondir et amplifier ses dispositions intellectuelles prêtes à des élargissements.

F.L. a une intelligence active et réaliste. Il juge bien et possède un esprit logique, plus géométrique qu'en finesse. Il résout les problèmes qui se présentent à lui en une vue d'ensemble. Là peut être un danger car, ne s'intéressant qu'aux contextes généraux, il en oublie des détails qui ont leur importance.

Il n'est ni méditatif ni contemplatif. Il a besoin de résultats qui se voient, d'idées qui prennent forme et de sentiments qui s'épanouissent.

F.L. est naturellement généreux. Il donne autant qu'il aime recevoir. Cette ouverture à autrui confère une ampleur efficace à ses propos et actions. Il lui arrive d'être naïf dans ses souhaits d'éviter la mesquinerie en toutes choses, c'est pourquoi il a intérêt à surveiller ses premiers mouvements car dans leur étendue spontanée, ils peuvent être trop prodigues. A voir trop large, il tombe dans le superficiel et le gaspillage.

Avec ses dispositions « en expansion », F.L. n'est ni jaloux, ni intolérant. Ne doutant pas de lui, il n'est pas enfermé dans des petitesses de pensées et des parenthèses exiguës de sentiments. C'est ainsi que ses enthousiasmes, qui manquent parfois de sagesse, gagnent en générosité.

Front étroit

F.E. n'est pas facile – ni parfois plaisant – à comprendre et à vivre.

A comprendre parce que ses aptitudes de pensée et de jugement manquent d'ampleur. Il est comme l'écrit Montesquieu : « un génie étroit qui ne voit les choses que par parties et n'embrasse rien d'une vue générale... ».

F.E. limite ses réflexions à l'essentiel de ses idées et de ses sentiments. Il les canalise vers des orientations et utilisations étroites. Lorsque celles-ci sont judicieuses, des résultats étonnants de vérité et d'efficacité sont possibles puisque les économies d'espace favorisent l'esprit d'analyse et la finesse d'observation. Lorsqu'elles sont bordées de subjectivité, de linéaire ou tout simplement parce qu'il est impossible à F.E. de sortir d'un cadre exigu, ses cogitations sont étriquées et unilatérales. Il voit l'arbre en oubliant la forêt. Certes cette tendance à l'analyse « dans une seule direction » lui donne des aptitudes de spécialisation et un redoutable esprit en scalpel, mais elle lui donne un esprit caustique, critique et coupant.

F.E. est difficile à vivre. Il se méfie de la spontanéité de ses sentiments et encadre ses pensées qui en deviennent intolérantes. Et ses humeurs se renfrognent à force de « faire attention » à ne pas avouer ses émotions et affections. Il est égoïste par protection de soi.

F.E. est difficile à comprendre car on pressent que sa personnalité n'est pas uniquement faite « d'étroitesse ». En effet, lorsque sa sensibilité est rassurée, il desserre ses intolérances et commence à voir large. Et on apprend que F.E. est strict parce qu'il veut être précis, qu'il est restrictif parce qu'il veut être juste et qu'il espère atteindre un point d'absolu où ses idées et ses sentiments acquerront une valeur appréciée. Il y a chez F.E. une pureté qui ressemble à de l'angélique et à du détergent !

Front haut

F.H. a des idéaux, un esprit d'indépendance, de l'imagination et des rêves éveillés. Il confond idéal et mensonge. Non par souci de dissimuler des pensées jugées dangereuses ou des sentiments considérés inélégants, mais parce que ses formulations d'esprit sont créatrices d'idées excentriques.

F.H. entretient ses dispositions intellectuelles comme un noble soigne ses armoiries : avec orgueil, élégance et un faux détachement. Ces aptitudes sont favorables aux conversations au cours desquelles le mondain joute avec le spirituel, et aux travaux de l'esprit dans lesquels l'esthétique, l'éloquence et l'élévation de pensée l'emportent sur le réalisme. Toutes ces qualités lui donnent une aura qui sent l'élitisme et le prive d'humilité.

En quête d'ascensionnel dans ses idées et ses sentiments, F.H. atteint le sublime et, à défaut, le supérieur.

F.H. a l'amour-propre chatouilleux. On ne fréquente pas les hautes sphères de l'esprit sans être touché par une folie des hauteurs ! De plus, cultivant des idéaux élevés, il est facilement hautain. Il se hausse au-dessus de qui veut se mesurer à lui, et il le fait avec élégance. Mais il lui arrive aussi de confondre esprit et mépris, indifférence et dédain.

F.H. doit apprendre à imposer silence à sa sensibilité afin qu'elle ne fasse pas acte d'arrogance. Il est artiste dans la mesure où ses capacités le missionnent vers des créations où l'esthétique est de rigueur. Peut-être est-ce là la clé de sa personnalité : ne voulant pas être asservi par l'ordinaire de la vie et des êtres, il domine les réalités en les élevant au-dessus du quotidien. Le danger est celui que conte Shakespeare « d'être né sous une rimailleuse étoile... ».

Front fuyant

F.F. subit avec intensité toute la panoplie des émotions. Elle a des attractions impulsives, des caprices, des souffrances, des plaisirs... cent et un états d'âme qui n'en finissent pas de durer. Tous ces phénomènes affectifs qui s'embrouillent, se mêlent, s'opposent, lui donnent une sensibilité créatrice puisque tourmentée. « Frappe-toi le cœur, c'est là qu'est le génie... », écrit Musset. « Frappe-toi le front, c'est là qu'est la sensibilité » pleure F.F. !

Il lui est difficile d'équilibrer les forces vives qui l'animent. Ses sentiments et ses émotions se nouent en des charades dont elle ne trouve pas les réponses. Ces imbroglios intérieurs lui donnent de l'instabilité et de l'impatience.

F.F. se sent tyrannisée par les excès de son émotivité et elle est bouleversée par des mélancolies et des vagues à l'âme qu'elle ne souhaite pas.

F.F. est attachante comme le sont les êtres doués d'aptitudes intuitives et imaginatives. Elle charme et conquiert les esprits et enchaîne les cœurs. Elle séduit par des arabesques d'amabilité. Mais, en même temps, elle se laisse emprisonner par ses complaisances à faire plaisir et à se faire plaisir.

F.F. est incertaine de tout et certaine de rien. Elle doute de sa propre valeur, et c'est pourquoi elle « en rajoute » afin de calmer ses alternatives d'indécision et de confiance, d'orgueil et de sentiment d'insignifiance. Ses humeurs variables sont les aveux mystérieux de son âme inquiète.

Front bas

F.B. est concret. Il n'apprécie pas les idées trop aériennes qui s'imaginent, à force d'illusions, pouvoir se réaliser. Il a besoin de toucher pour croire et de peser et mesurer pour être certain de la vraie valeur des choses, des idées et des sentiments. Il passe au crible de ses rectitudes et au sas de sa logique ce qui lui est proposé, afin d'obtenir des résultats concrets. Il abaisse à leur niveau le plus bas ses enthousiasmes – et bien entendu ceux des autres – afin que le concret l'emporte sur l'imaginaire. F.B. n'aime pas vivre en pays d'utopie, il veut du terre à terre et du solide.

Il est têtu. Il est obstiné dans ses affirmations et buté dans ses décisions. Peu de personnes peuvent le faire bouger de ses prises de positions. Quand on lui reproche son manque de souplesse, il répond qu'il préfère être borné et efficace plutôt qu'élastique et inopérant.

F.B. est courageux, combatif, patient et persévérant. Il a une force tranquille qui, lorsqu'elle se met en marche, va jusqu'à son but sans faiblir.

Il est susceptible quant à ses principes de paix. Il n'aime pas qu'on lui « marche sur les pieds » et est capable de colères bornées si on bouscule l'ordre de ses idées, projets et sentiments.

Il a l'ambition des êtres qui n'aiment pas les futilités et qui se savent fidèles à leur conscience.

LES YEUX

L'œil : « organe de la vue ». Courte définition du dictionnaire.

Les yeux sont installés dans la partie haute de la zone centrale du visage avec le nez et les oreilles.

Une centralisation des trois organes – des trois orifices – qui apportent des sensations s'est effectuée dans l'espace médian du visage.

Voilà qui laisse le champ libre au cérébral pour se développer dans la zone supérieure, et à la bouche, organe à la double fonction de nutrition et expression (manger et parler) pour s'ouvrir et de se fermer dans la zone inférieure.

Cette centralisation n'est pas un hasard. L'œil ne pense pas, il ne parle pas – du moins dans le sens d'articuler des sons –, il se contente de voir et de transmettre aux centres nerveux les impressions reçues. Malgré l'expressive image « n'avoir pas froid aux yeux », sa température ne varie guère.

Lorsque l'œil brille, qu'il jette des flammes, est éteint, fixe ou mauvais..., la volonté n'intervient pas. Des réactions biochimiques sont à la base de cette « manière de parler ».

L'œil, dans sa situation centrale, a un rôle d' « absorption ». Il voit et laisse au cérébral le soin de regarder. Comme dit le poète, « l'œil est le miroir de l'âme ». Il l'est par son regard. L'œil, en tant que globe, serait un astre mort si le regard n'existait pas.

Le regard suppose un acte de volonté, une action dans le mouvement et un choix dans une direction. On porte son regard vers... ce qui inclut deux messages : celui de l'œil et celui du regard.

L'œil, considéré dans sa morphologie, renseigne sur le volume d'absorption et la manière dont cette dernière se fait (absorption de la vie, de ce qui entoure...).

Le regard renseigne sur la vie en profondeur, sur ce qui se passe à l'intérieur, sur la sensibilité, le vécu des émotions. Le regard indique ce que l'âme fait de ce que l'œil a « absorbé ».

Yeux petits

Y.P. est avant tout précautionneux. Il vit à l'économie, soucieux de ne rien laisser paraître de ses émotions et de ses sentiments. Il n'est ni mesquin ni médiocre, il est simplement avare de ses regards.

Avare parce qu'il observe avec acuité et analyse avec perspicacité ce qui se passe autour de lui plutôt que de participer et de communiquer. Il scrute comme à travers les lentilles d'un microscope les êtres et les choses. Mais il ne fait pas de confidences sur ce qu'il pense et sur les résultats de ses cogitations, qui sont pointues en justesse et en pertinence. Réfléchissant beaucoup et parlant peu, ses jugements sont fins, précis, à haute densité psychologique et philosophique.

Y.P. est timide et aimerait passer inaperçu. Peut-être se sent-il inférieur aux autres, en vertu de critères qu'il s'est inventé. Peut-être se croit-il déficient socialement, esthétiquement... Il est humble parce que peu rassuré et modeste parce que manquant de confiance en lui.

La certitude d'être apprécié et aimé lui fait briller les yeux, ce qui, chez un timide, est mieux qu'un long discours ! Des excès de timidité le rendent malheureux et il se rapetisse alors dans l'égoïsme et l'égocentrisme.

Y.P. doit apprendre à user d'audace pour se construire son bien-être.

Y.P. est scrupuleux. Ce trait de caractère est utile pour concentrer les pensées et les sentiments en un point focal efficacement précis et précieux, mais attention à un dessèchement par excès de focalisation.

Yeux grands

Y.G. donne du volume, des couleurs et des formes riches à ce qu'il voit. Ses yeux embrassent le plus grand nombre de choses possible afin de participer grandement à la vie extérieure.

Il pense, vit et aime en dépassant les dimensions

ordinaires des idées et des sentiments. Ces dispositions expansives favorisent sa vie sociale et affective et élargissent son univers de communication. Il prend sa place dans le monde avec optimisme, dignité et aisance.

Y.G. a confiance en lui et affiche un orgueil conscient. Il voit grand et cela ce voit; il pense grand et c'est évident; il aime grand et ce n'est pas contestable. Il n'accepte d'ailleurs pas que l'on puisse en douter!

Il lui arrive de donner une démesure, risquée pour l'équilibre, à ses ambitions, affections et imaginations. Dans ce cas, méconnaissant ses propres forces, il franchit le cap du possible et du raisonnable pour tomber dans le piège du grandiloquent et de l'insignifiant parce que trop emphatique. Place au pompeux par excès d'enflures...

Y.G. peut être sublime. Mais la limite entre les grands sentiments et les grandes idées et le « trop grand » qui devient mégalo, est fragile.

Vivant au superlatif de ses énergies et de ses capacités, Y.G. est un réalisateur hors pair. Il est meneur magnanime, héros généreux, conséquent et conquérant. Ces aptitudes, qui apportent de grands honneurs, sont en perpétuel émoi du fait d'une réceptivité aux vibrations et d'une impressionnabilité aux sentiments. Il est difficile d'harmoniser l'humain et l'éminent, le généreux et l'ambitieux! L'art de Y.G. est de réussir cet équilibre en voyant trop grand afin de ne pas paraître trop moyen.

Yeux enfoncés, profonds

Y.E. est intimiste et intimidant.

Il regarde la vie avec des yeux vierges de confidences. On ne voit pas qu'il voit! Il réfléchit profondément et silencieusement avant d'exprimer ses idées et il veut comprendre les rouages subtils des motifs qui l'animent et activent autrui.

Il éclaircit l'inexplicable en s'observant vivre de l'intérieur. D'où des aptitudes remarquables pour pénétrer et analyser perspicacement les êtres, les choses, les pensées...

Y.E. est intimidant car son esprit scrute, détecte et juge.

Y.E. n'aime pas que l'on s'occupe de lui. Il est réservé pour ce qui concerne son domaine intime, ses liaisons et ses émotions. Il préserve son for intérieur de toute forme d'intrusion et il ne permet pas que l'on franchisse les portes de sa vie privée.

Y.E. a une vie intérieure intense. Il est plus simple qu'on le suppose car ses silences, qui peuvent passer pour orgueilleux, indiquent des réflexions profondes et des recherches des vérités qui n'ont rien de superficiel.

Il émane de la personnalité de Y.E. une impression d'inquiétude diffuse. Il est difficile à appréhender et cette gêne donne naissance à des tiédeurs dans les contacts. Qui est-il exactement? Voilà la question que l'on se pose en le regardant. Sa personnalité est secrète. Derrière le masque, il se passe des choses profondes et paisibles, mystérieuses et sensibles. En espérant que ce profond soit suffisamment clair pour rester intelligent.

Yeux ronds

Y.R. est étonné de naissance. Est-il crédule, faussement naïf? Peut-on aisément lui faire « prendre des vessies pour des lanternes » ? Est-il en constant émerveillement ou, plus simplement, regarde-t-il la vie avec la sagesse et la simplicité des êtres sans méchanceté, sans arête et tout en rondeur?

Il est certainement tout cela en même temps et c'est ce qui fait son charme. Il est inattendu dans ses candides spontanéités. Ses colères sont enfantines et ses humeurs passent du rire aux larmes avec l'opportunité des êtres certains de se faire pardonner.

Il joue la surprise et fait celui qui n'en croit pas ses yeux lorsque des circonstances de la vie l'obligent à prendre des responsabilités. Si l'on accepte son jeu charmeur, on le prend alors en charge, on le câline et on le dorlote. C'est ainsi qu'il attend passivement que les autres réalisent ce qu'il devrait faire lui-même.

Y.R. est étonnant car il est sans rancune. Il est d'une franchise désarmante et d'une générosité candide. Il ne garde pas le souvenir des offenses qu'il reçoit et des caprices qu'il impose. Il n'a pas de vengeance et il est tout étonné que ses attitudes malhabiles provoquent des crispations. Y.R. est heureux pourvu qu'on l'aime et qu'on le lui dise.

Et de la même manière que ses yeux ont besoin d'être étonnés, son esprit a besoin d'être surpris et son cœur d'être ébloui.

Mais qui sait si sous sa candeur ne se cache pas de la malice ! Celle de l'enfant qui n'a pas conscience de son charme ingénu et qui s'amuse à s'en fabriquer un à grands coups de coquetterie.

Yeux saillants

Y.S. a besoin d'aimer et d'être aimé, d'être absorbé par les sentiments d'autrui et de lui donner à consommer les siens. Ces dispositions de cœur – et de corps – s'exercent sans excès d'enthousiasme, sans fougue ni frétillement intempestif. Y.S. est reposant dans l'expression de ses humeurs et de ses appétits affectifs. Il flâne, prend son temps afin d'apprécier la substantifique moelle des sensations qu'il prend à bras le corps.

Il est gourmand de vivre et de goûter de tous ses cinq sens les plaisirs terrestres.

Il a la mémoire des formes, des couleurs et des odeurs. Il palpe des yeux, jouit du regard et dévisage ce qui alimente ses appétits de sensations. Il lui faut du temps pour savourer toutes ses perceptions car sa mémoire, qu'il a fort ample, a besoin de classer lentement les impressions reçues. Voilà un reproche que l'on pourrait lui formuler : trop s'alanguir sur ses sentiments et les envelopper de douce paresse.

Y.S. concrétise ses imaginations et les rend comestibles. Il ne rêve pas les réalités et ne déguise ni ne calcule ses désirs. Il est franc, ouvert, spontané. Peut-être manque-t-il de tact et de raffinement, mais on le lui pardonne car il est fort attachant à vivre, avec ses naïvetés et son affectivité d'enfant. Y.S. a fait sienne cette pensée de Maupassant, « De toutes les passions, la seule vraiment respectable paraît être la gourmandise ! ».

Yeux en amande, yeux de biche

Y.A. est insaisissable. Elle est fluide comme un ruisseau qui coule, une musique de Debussy... Elle a d'heureuses qualités d'adaptabilité. Elle se moule dans les ambiances et s'accommode souplement à autrui. Mais ces attitudes pour être élégantes et fort aimables, n'en restent pas moins ambiguës.

Y.A. possède a des yeux immobiles et bridés, ceux, ô combien raffinés, des masques du théâtre No, qui suggèrent selon le cas la faiblesse et l'habileté, la passivité et la puissance.

Y.A. est une illusion. Elle est femme magique, improvisant des solutions pertinentes, opportune avec doigté. Elle est diplomate jusqu'au bout de son regard qui ne sourit pas mais qui joue la comédie du sourire.

Y.A. se laisse porter par ses rêves intérieurs. Impressionnable et d'une fragilité de biche, elle est une merveilleuse artiste car elle ne laisse pas paraître les émotions qui l'animent. Elle est virtuose à simuler le vrai et à dissimuler le faux, à intriguer adroitement afin d'arriver à ses fins.

Comme, de plus, elle possède un charme troublant qui ne laisse personne indifférent, elle est dangereuse. Ses yeux emprisonnent les cœurs et les esprits qui, trop séduits, ne peuvent plus être lucides.

Regard mobile, rapide

R.M. vit vite, réfléchit avec vivacité, aime avec promptitude et n'existe plus lorsque son tempo de vie se ralentit faute de substance.

Il voit tout et entend tout, en un instant et tout en même temps. Superficiellement certes, mais avec suffisamment d'intérêt pour qu'il en reste quelque chose.

A force de tout enregistrer en vrac, il se sature, s'inquiète et s'agite.

Son esprit est créatif, rapide à saisir l'essence des idées et des sentiments. Il a la désinvolture des gens doués et brillants, habitués à séduire par des chassés-croisés véloces et des sourires bâclés mais efficaces.

R.M. est avide d'actualité et d'activité nouvelle. Il est plus que vivant tant il s'agite pour deux. Il est en perpétuelle accélération, et passe tout de suite la quatrième vitesse. Ce rythme lui donne une supériorité évidente sur le plan des activités. Il est persuasif, dynamique, combatif et omniprésent.

Son problème est une tendance au découragement. Il est expert à sauter les obstacles et à résoudre vite les problèmes qui se présentent, mais qu'adviennent des longueurs, des tensions, des récifs et des encombrements... et R.M. s'impatiente, s'agite et use ses énergies.

R.M. n'accepte aucune contrainte. A l'instant où ses impulsions sont freinées pour quelque motif que ce soit, il se sent physiquement et moralement diminué et prisonnier d'une fatalité.

Ses sensibilité, imagination et affectivité, ne trouvant plus d'objectifs extérieurs, ne s'expriment plus. Elles s'évadent, tournent en rond. C'est alors que des angoisses tourbillonnent et accélèrent son rythme de vie d'une manière désordonnée. R.M. confond alors vitesse et précipitation, impulsivité et rapidité. Soumis aux courts-circuits de sa mobilité excessive, il perd son efficacité originale.

Pour la rattraper, R.M. use de subterfuges et d'intrigues qui peuvent – selon l'art et la manière de s'en servir – être la source d'entreprises folles ou de réalisations géniales. R.M., ayant naturellement le don de l'aisance et des opportunités élégantes, trouve le pas agile et la cadence vive et non fiévreuse pour rester efficacement et intelligemment presto et prestissimo...

Regard lointain

Quel étrange personnage que R.L. ! Il est reposant par une sorte de lymphatisme un peu mélancolique, un vague à l'âme que l'on sent sans agressivité aucune. Il est troublant car on ne sait pas où s'arrête cette passivité et où commence cet indéfinissable qui ressemble à du mystérieux, à du magique. Mais comment faire la différence entre le lointain et le profond, entre l'ailleurs et le pénétrant !

R.L. a des comportements indistincts. Il ne faut pas compter sur lui pour des réalisations exigeant du concret et du temporel. Il médite et part dans des voyages intérieurs qui n'en finissent pas d'arriver. Il a mis une distance entre lui et les autres et cet espace l'installe dans un monde étranger à autrui où il se passe forcément quelque chose mais moderato, lento et piano comme un film au ralenti.

R.L. est intuitif, poète et nuageux. Il a le goût des infinis qui conduisent au surnaturel. Il est satisfait de son univers intérieur infiniment grand, et il est indifférent au monde extérieur infiniment petit. Il est jouisseur – dans la quiétude et la plénitude flottantes de son monde – des sensations qui passent à portée de ses sens.

Il est inadapté à une vie quotidienne trop concrète et il en a les symptômes. En échange, il donne l'impression de tant de sagesse que les déséquilibres que l'on constate sont pardonnables. Il vit loin parce que la fréquentation de ce qui est trop proche de lui l'importune, et ce recul lui permet d'être un vivant aux imaginations longues, aux rêves qui durent longtemps et aux sensations qui ne perdent jamais patience.

Regard direct, ferme

R.D. a une personnalité objective, franche et active. Il prend des décisions et les mène à bon terme. Volontaire et déterminé, il fixe son choix et s'y tient, qu'il s'agisse d'idée ou de sentiment. Courageux et parfois audacieux, il passe pour un homme convaincu de ce qu'il affirme et convaincant pour ce qu'il propose. Il porte des jugements sur les points qu'il connaît et les questions qu'il a étudiées, et ses conclusions sont des verdicts. Il n'accepte pas de se tromper comme il n'admet pas qu'on lui mente. Ses rapports sont solides et contrôlés. Il n'est guère influençable et lorsqu'il a donné son amitié, il n'est ni médiocre ni capricieux pour jouer à la reprendre.

Dynamique et actif, il domine les problèmes, impose ses desseins et résiste aux difficultés.

Il fait progresser les événements. Malgré – ou peut-être – grâce aux incidents et aux crises qui perturbent leur marche en avant, il atteint ses buts fermement et assurément.

Une faiblesse réside dans un mauvais contrôle de ses forces. Il accumule trop de tensions qui se déchargent sous forme de colères brusques. Des disproportions entre les vouloirs et les pouvoirs entraînent de l'agressivité.

Mais comme il est écrit « que les personnes qui ont de la fermeté peuvent avoir de véritables douceurs », il est certain que R.L. est un homme de cœur, passionné, chevaleresque et parfois héros.

Regard en biais

R.B. est habité par une émotivité excessive. Il est abîmé par des qui-vive et des états d'âme tourmentants tellement louvoyants qu'il ne regarde pas en face et lui-même et les autres, comme s'il avait peur d'être vu tel qu'il pense être, c'est-à-dire difforme de cœur et d'esprit. Ce qui est faux.

Il hésite et tergiverse quand il s'agit de prendre une décision. Il fait parfois acte de choix avec des impatiences excessives qui sont préjudiciables à la justesse de ses préférences.

Il donne une obliquité à ses sentiments afin de les

rendre plus excitants, donc plus vrais à ses yeux. Influencé par les impulsions de sa sensibilité, il s'ingénie à aimer « de travers » afin d'être original et de trouver des moyens détournés pour ne pas s'ennuyer. Ces attitudes ne sont pas en faveur d'une franchise absolue !

Des yeux qui ne regardent pas en face ne sont pas francs. Cette lapalissade cache une inquiétude fondamentale : R.B. a peur de la vérité, il fuit le vrai et la question reste de savoir pourquoi. En fait, il se sent en insécurité dans un monde qu'il ressent hostile. En état d'infériorité pour faire face à ses troubles, il n'a que ce subterfuge pour calmer ses angoisses : faire celui qui ne voit pas et regarder ailleurs en espérant que par écho ou ricochet, il « verra » quelque chose. Tout en faisant celui qui ne regarde pas. Piètre excuse ! Et c'est ainsi qu'il se compose une mentalité de crabe en vivant « de côté ». Mais finalement, qu'importe s'il marche du bon côté !

LES SOURCILS

Forme carrée, brisée au milieu : tendance masculine « anguleuse », énergie, combativité, maîtrise de soi, résistance, surveillance de soi, prédominance de la volonté.

Arrondis, en guirlande, relevés vers le haut : tendance féminine avec adaptabilité, passivité, sens esthétique, mais aussi influençable, faiblesse, nervosité, caprice, tempérament comédien, changement d'humeur soudain et sans motif. Caractère faunesque.

Forme tombante : scepticisme, abattement, découragement, sentiment de lassitude, de fatalité, doute et perplexité.

Forme droite : maîtrise de soi, paix intérieure, un certain rigorisme dans les idées et dans les sentiments. Principes moraux, surveillance de soi, harmonie entre les différentes tendances.

Maigres : déficience physiologique, extrême délicatesse, timidité, facilement effrayé, sentiment de faiblesse, manque de tonus, d'énergie, aspirations spirituelles

Epais, fournis : capacités fortes et réalisatrices, dynamisme, énergie, besoin d'activité à l'état pur, instincts prédominants, recherche de relief dans la vie, tendance à l'affirmation de soi, à l'autoritarisme, voire à la brutalité.

LES MASQUES POUR INDIQUER UN ETAT

Sourcils levés : étonnement, surprise, « ciel ! ».

Sourcils plissés, resserrés : déplaisir, mécontentement, crispation de colère et de dépit.

Sourcils froncés : concentration, attention extrême, intérêt pour « des choses de l'intérieur ».

Forme jointe : intransigeance, idées étroites, attachement excessif à des idées, manque de souplesse et d'accommodation.

Très écartés : ouverture à autrui, extraversion, besoin de contact, contentement et satisfaction de soi, tendance au gaspillage, à l'exhibitionnisme, goût pour les plaisirs « extérieurs », intelligence plus brillante que profonde, faiblesse dans la continuité des efforts

Très rapprochés : timidité, position de retrait par rapport aux autres, méfiance et rigidité morale, mentale et sentimentale. Introversion, tendance à la concentration en soi-même, à la réflexion, humeur souvent mélancolique, susceptible et scrupuleuse, égocentrisme, sensibilité souffrante.

Très arqués : comportement élaboré, réfléchi et volontairement surveillé en fonction de désirs « d'être au-dessus de... », sensibilité excessive, besoin de plaire, d'être distingué, orgueil et originalité, noblesse de caractère, risque de dissimulation élégante.

LE NEZ

« Partie saillante du visage, entre le front et la lèvre supérieure, abritant les fosses nasales, organe de l'odorat ».

Qu'il soit blair, blase, pif ou tarin..., le nez avec ses ailes, ses deux trous, son arête, ses poils est excentrique ! Qu'il soit queue, membre, appendice, piton, fuselage... le nez est, avec les oreilles, un organe qui « dépasse » et cela se voit comme « le nez au milieu du visage ».

Le nez remue, se pince, bleuit, coule et gèle dans cette position avancée. C'est lui qui est nez à nez avec quelqu'un d'autre que soi. On montre le bout de son nez, on met le nez dehors, on a le nez en l'air... Toutes ces expressions disent que le nez est un outil qui mesure ce qui se passe dehors pour le profit du corps, qui aspire ce qui est nécessaire et profitable. Entre l'air, la poussière, les odeurs, l'eau..., il y a un tri à faire !

Avoir du nez est « sentir », avoir de l'intuition dans les sentiments comme dans les affaires, bien que l'argent n'ait pas d'odeur ! Le nez n'est pas qu'un organe que l'on mouche bruyamment lorsqu'il est bouché : il reflète la perspicacité, la manière dont on « prend la vie ». Il révèle ce qu'on ne peut pas cacher, à savoir le tempérament et les instincts.

L'odorat est l'intelligence du nez et l'odorat n'existe que parce que les fosses nasales sont protégées par cette éminence mi-os, mi-chair. Et cette protubérance se met « dans les affaires des autres » afin de renifler des opportunités.

Le nez renseigne sur la manière dont la vie est appréhendée sous son aspect « bien en chair », ce qui n'empêche pas la finesse et la subtilité.

Plus le nez est important, plus la fonction olfactive est, à priori, développée, et plus l'homme se rapproche de l'animal. Les poissons et batraciens sont les modèles d'une tête « toute en nez ». A l'excès, lorsque l'homme redevient animal, parce qu'esclave de ses instincts et de ses sens (goût, ouïe, *odorat*, toucher, vue), son nez lui permet d'obtenir des sensations « charnelles » par l'odorat mais aussi par le toucher. On parle bien de se manger le nez !

Nez grand

N.G. est grand par ses qualités intellectuelles, morales et affectives. Plagiant Pascal qui affirme que « dans une grande âme tout est grand », on peut écrire « qu'un grand nez assure de grandes qualités ». N.G. a des grandes idées qu'il mène à bonne fin, de grands sentiments qu'il maîtrise afin de leur conserver de la valeur et une certaine noblesse.

Il donne à ses projets une ampleur enviable et, comme il est naturellement généreux et confiant, il fait profiter qui il estime des résultats de ses entreprises. Il en arrive à être grand malgré lui !

N.G. a le sens de la hiérarchie et il fait montre d'un orgueil élégant et souriant, mais aussi bien marqué. Il apprécie qu'on le remarque. Il est de la race des grands hommes, ceux qui possèdent de vastes capacités de compréhension, de jugement et d'imagination. Il a ce que Victor Hugo appelle « une intelligence en exercice et en érection ».

Ses facultés de volonté et ses ambitions sont puissantes et il conçoit avec audace et originalité ce qu'il exécute en un second temps avec force.

Il aime la vie avec tous les plaisirs et les sensations qu'elle procure et il se sent homme à part entière, responsable et volontaire. Il ne manque pas d'humour, ce qui lui donne un charme inattendu. Il est double, sérieux et plaisant, satisfait et amical, autoritaire et compréhensif.

N.G. est réaliste. Il supporte mal les invraisemblances. Il est écrit que « seul le réel est beau », et il en est assuré. Mais ce goût du réalisme ne l'oblige pas à supprimer tout imaginaire de ses pensées et de ses sentiments. Au contraire, il flaire les possibles réels dans tout ce qui n'est pas vraisemblable.

Nez de travers, en biais...

N.T. est un personnage attachant mais difficile à saisir. Il est fougueux, facilement ombrageux, vite agressif. Son caractère est chatouilleux et susceptible, et son imagination est féconde. Il a de l'humour et un sens inné de la comédie, mais il est trop nerveux pour toujours être amusant.

Il donne l'impression d'une désinvolture naturelle et ses attitudes sont dégagées, familières même, avec un laisser-aller impertinent. En réalité, il est angoissé car bouillonnent en lui des forces qu'il ne peut maîtriser. Il est stable, constant, discipliné... et nerveux, impatient et maladroitement passionné. Il est soumis à des décharges émotives qui le déséquilibre.

Il est volontaire, capable d'initiative et de création, mais il va jusqu'à l'usure de ses forces. Personne ne peut connaître les souffrances qu'il endure lorsqu'il sent en lui des alternatives d'énergie et d'impuissance, des balancements dans ses confiances en lui et dans ses incertitudes.

Riche d'idées, de passions à multiples facettes, original, fébrile, susceptible et étrange, il surprend, divertit, mais aussi déroute.

Il est diplomate et use de subterfuges. Plutôt que d'être imprudent, il biaise et compose avec les idées et les sentiments d'autrui. Toutes ces figures de style cachent une affectivité et une émotivité mal assurées qui, si elles pouvaient s'exprimer sans chicanes, étonneraient par leur pureté.

Nez retroussé

N.R. semble encore enfant. Elle est femme-adolescente avec ses naïvetés, ses spontanéités, ses bouderies que personne ne prend au sérieux, ses tendresses à fleur de mots et de gestes. Elle est simple dans ses exigences et fantasque dans ses espérances. Elle est opportuniste et sait parfaitement conquérir les cœurs avec ses minauderies. En réalité, elle est passablement égoïste et un tantinet égocentrique avec ses générosités.

N.R. fait peu d'efforts dans la vie. D'une part parce qu'une providence aimable lui apporte en temps voulu ce qu'elle souhaite, d'autre part parce qu'elle n'aime pas se fatiguer. N.R. a des aptitudes au farniente souriant et aux voluptés passives qui sont des régals à contempler.

Les personnes qui ont une activité décuplée et des enthousiasmes accélérés sont désemparées devant cet étalage d'insolente indolente. N.R. est coquine, espiègle et malicieuse. Elle surprend sans tromper et badine en restant sérieuse. Ses attitudes tendrement sympathiques lui donnent une personnalité que l'on pourrait supposer sans relief. Or il n'en est rien, car elle est tenace dans ses enfantillages et volontaire dans ses bouderies.

Elle passe pour frivole car elle joue d'exhibitionnisme, de fausse insouciance et d'illogisme. Elle est ingénue avec ses maladresses naïvement calculées.

Nez court

N.C. cache son jeu. Il fait semblant d'être scrupuleux et réservé, en réalité il est nerveux et exigu d'esprit et de cœur.

N.C. est subjectif plus que réaliste, ce qui le rend badaud et curieux de tout. Il éprouve vite des émotions qu'il a des difficultés à maîtriser et qui n'ont que peu de rapport avec la réalité des faits. Sa sensibilité développée empêche son sens critique de s'exercer. Son affectivité est la source de doute et d'inquiétude, d'où des comportements inégaux en courage, en résultat et en vraisemblance.

N.C. est parfois impuissant à penser et à réaliser. Il a des faiblesses dans sa vision des êtres et des choses et il est trop impressionnable pour être toujours crédible.

N.C. manque d'assurance et de confiance en sa valeur. Comme il est conscient de ses lacunes, il s'angoisse en face de petits problèmes anodins.

Malgré, et peut-être, grâce à ses « déficiences » dans sa personnalité qu'il souhaite plus stable, N.C. a du charme. Ses caprices sont suffisamment agréables à voir et à vivre pour qu'on les lui pardonne aisément !

N.C. se sent souvent dans un état d'indécision qui l'amène à vouloir en faire plus qu'il ne devrait, comme s'il voulait masquer ses manques d'audaces.

Nez pointu

N.P. est fine mouche jusqu'à la finasserie et rusée jusqu'à l'astuce. Elle a une intelligence perspicace et pénétrante, est curieuse de tout et surtout de ce qui ne la regarde pas ! Elle est à l'affût de toutes les idées originales sur lesquelles elle peut fantasmer. Elle découvre l'essentiel des idées et des sentiments en faisant le tri des accessoires. Son esprit est critique, voire caustique, et il n'est pas bon de se faire chatouiller par ses piques et brocards.

N.P. pénètre jusqu'au cœur des questions et des problèmes. Elle a tendance à trop analyser le pourquoi et le comment des choses et à trop vouloir trouver des mystères là où le problème est simple. Elle est rarement heureuse de l'instant présent et elle espère qu'il se passe quelque chose de piquant et d'inédit dans son quotidien. Elle se sent souvent habitée par une inquiétude indéfinissable et sa sensibilité, déjà aiguisée, se fait alors acerbe.

N.P. décortique ses sentiments et sensations, et ceux des autres. Passent encore des idées qui se font alors plus subtiles, mais vouloir à tout prix fouiller tout ce qui se passe dans le cœur et l'esprit peut devenir agaçant. Elle se délecte ainsi à jouer au psy quelque chose... à défaut de l'être vraiment. Elle a des dons pour pénétrer à l'intérieur de « l'âme » humaine et, tel un bistouri, d'extirper « ce qui fait mal ».

On ne s'ennuie guère avec N.P. tant elle a l'art des à-propos ironiques et des potins acidulés.

N.P. est insatisfaite dans ses affections. Sa sexualité est fragile car fine et en constante demande d'excitation plus cérébrale que physique. Elle se lasse du concret de l'amour si de l'imagination ne vient pas aiguillonner la monotonie de ses corps à corps.

Si elle ne corrige pas cette tendance à abuser de banderilles, celle-ci devient insupportable. N.P. est fatigable et ses fatigues sont prétextes à des agressivités. Il faut se méfier de ses coups d'éperons qui la blessent autant qu'ils écorchent les autres. Ses coups de griffes sont l'aveu d'un manque de confiance en soi et de sentiments d'insécurité qui sont adoucis par de la compréhension et de la tolérance.

Nez large, plutôt plat

N.L. est peu compliqué. Il est nature, sans apprêt et sans fioriture. Son bon sens, parfois un peu lourd, est proverbial. Il a la manière de mettre du concret dans les envolées de l'imagination et de coller du réalisme dans les sentiments trop romantisés.

N.L. apprécie les satisfactions quotidiennes avec une philosophie tout à fait terrestre : bien manger, bien vivre, bien jouir de chaque sensation sans se poser de questions transcendantales. Il ne laisse pas à un autre son morceau de plaisir et sa portion d'optimisme.

Peut-être pourrait-on lui reprocher de préférer le terre à terre plutôt que les choses de l'esprit et de dépoétiser certains idéaux. Mais pourquoi lui en vouloir alors qu'il est si généreux de ses forces pour ses amis dans la gêne.

N.L. tout en étant réaliste et parfaitement objectif et possède un flair étonnant pour sentir les bonnes affaires. Il a d'ailleurs raison de se fier à ses instincts pour « cataloguer » les personnes qu'il fréquente car il ne se trompe guère. N.L. est naturellement humain, chaleureux, prompt à défendre la veuve et l'orphelin. Il court au combat, fait feu et pose des questions après. A l'excès, il peut être inflexible dans ses faits et gestes s'il pense qu'ils sont exemplaires.

Il est agréable à vivre à condition de respecter ses exigences de franchise et de concret, et qu'il ait son plein de sensations. Peu taciturne, peu mélancolique, il est heureux de vivre à l'instant présent sans réfléchir outre mesure à son futur, dans la mesure, encore une fois, où celui-ci s'annonce solide.

N.L. a besoin de se dépenser physiquement. Il aime la nature, la chasse, les sports et il décharge son trop-plein d'énergie dans des travaux de choc et des loisirs de combat.

N.L. est affectueux avec pudeur et maladresse. Il est inquiet de ses élans et gêné d'avouer ses sentiments. Il est aimable avec simplicité, spontané avec rudesse et souvent malhabile lorsqu'il lui faut faire face à des circonvolutions amoureuses.

Cette « fragilité » sentimentale l'amène à faire montre d'une non-élégance et d'une rudesse d'accueil qu'il regrette. N.L. est apprécié comme on souhaite que soit la franchise : brute de décoffrage.

Nez aquilin

N.A. connaît sa fierté et il ne la dissimule pas. Il sait son orgueil et ne cherche pas à le dissimuler. Il se pense en possession de forces « supérieures » et il a raison. Passionné impérieusement par ce qui s'appelle valeur humaine, courage, audace..., il est volontaire jusqu'à l'absolu pour atteindre ses buts. Il a des dispositions orgueilleuses pour valoriser les qualités et les instincts de chacun et pour donner une intensité passionnelle à leurs sentiments.

Il est exigeant pour lui-même et pour autrui. Il a besoin de sensations vibrantes et de puissantes impressions mais il ne montre pas ses émotions. Il a des désirs orgueilleux et silencieux qu'il maîtrise avec une froide détermination.

N.A. est dominateur et susceptible. Ces deux dispositions ne sont pas faciles à assumer et comme, de plus, il se sent libre comme un fauve, sa personnalité n'est guère aisée à supporter. Il en devient impersonnel tant on ne sait guère ce qu'il pense et ce qu'il aime... excepté ses certitudes. Il faut s'attendre avec N.A. à des colères cinglantes si l'on met en doute son honneur, sa parole donnée, sa foi. Pour en être glorieux, il n'en est pas forcément conciliant et aimable, aussi est-il craint.

Mais que de sensibilité sous le masque ! Il est hors de question de lui en faire état ou de chercher à la lui faire avouer. Il se ferait plutôt couper la tête !

Il y a un côté héros chez N.A., et il ne s'en cache pas. Il aimerait assez être statufié en demi-dieu à l'image d'un Hercule ou d'un grand chef indien ! Et il le mérite car il est absolument et totalement dévoué et fidèle lorsqu'il s'est engagé. Il ne faut pas lui demander une délicatesse de petit marquis car il a l'habitude d'aller droit au but sans demander de permission et sans galanterie superflue.

Un être comme N.A. a en lui des richesses d'énergie et de sentiment mais, attentif et patient comme un aigle tournant au-dessus de sa proie, il faut attendre le moment qu'il jugera propice pour en faire usage.

LA BOUCHE

« Cavité située à la partie inférieure du visage de l'homme, bordée par des lèvres, communiquant avec l'appareil digestif et les voies respiratoires » (Dictionnaire Le Petit Robert).

La bouche est indispensable à l'homme – du moins au niveau de la nutrition – alors que les yeux, le nez, les oreilles ne le sont pas. Le petit de l'homme, à sa naissance, n'est qu'une bouche qui mord, suce, embrasse, vomit, bave...

Qu'elle soit « en cul de poule » ou en cœur, la bouche, même quand elle ne prononce pas de sons, parle par sa mobilité, ses mimiques, ses expressions. La mécanique du parler est quelquefois muette.

La bouche préside à la fabrication des mots et des phrases nées de la fonction pensée. La *liaison intelligence-bouche* est essentielle dans l'acte de parler. Les mots ont une substance, une chair, un goût et une saveur que la bouche et les lèvres sont capables d'apprécier. De là l'expression « mâcher ses mots » !

Les fonctions de la bouche sont : parler et nourrir le corps, également respirer lorsque le nez ne peut le faire. L'air est une nourriture.

Les formes de la bouche et des lèvres renseignent sur les besoins du corps en nourritures terrestres – besoins en quantité et en qualité – et expliquent la « manière » d'absorber, c'est-à-dire le tempérament, la sexualité, les recherches de jouissances.

La bouche est le siège du *goût*, ce qui est autre chose que l'acte d'appréhender la nourriture et de la manger dans un but nutritif. La bouche dépasse la fonction organique pour devenir un « sens » permettant d'apprécier les saveurs, autorisant l'homme a avoir du « goût » (ce qui ne veut pas dire avoir bon goût).

La bouche et les lèvres, dans leur appartenance aux organes du goût (palais, langue), donnent des précisions sur l'intérêt ou le désintérêt que l'être humain peut avoir pour les choses matérielles (jouissances de tous ordres) et sur l'éducation de sa fonction « sensation ».

En plus de ces informations sur la vie végétative et instinctive, les jeux de physionomie, les mouvements expressifs de la bouche et des lèvres indiquent les degrés de la sensibilité, de l'émotivité.

Bouche aux lèvres grosses

B.L.G. mange la vie « à pleine bouche ». Elle est gourmande de toute sensation et n'a de cesse que d'absorber ce qui peut se manger et se boire des yeux. Elle est sensuelle et ne craint pas les sept péchés capitaux! B.L.G. aime l'existence comme s'il s'agissait d'un plat, vit comme on mange avec gourmandise tant elle engloutit ce qui fait vibrer son palais.

Sa personnalité est chaude, rayonnante et pleine de sève. Elle n'est jamais rassasiée de volupté et accorde ses préférences aux satisfactions les plus jouissives. Elle hume la vie avec délice et elle tourne ses plaisirs sept fois dans sa bouche, non par prudence mais par gourmandise, ce qui leur donne des volumes, des couleurs et des épaisseurs.

« De toutes les passions, la seule vraiment respectable me paraît être la gourmandise » écrit Guy de Maupassant. Cette certitude va droit aux sens de B.L.G. !

B.L.G. a une imagination féconde et un optimisme créatif. Elle grossit et ampoule les événements, les sentiments. Elle n'en reste pas moins fort agréable à vivre car sa fréquentation est motif à des débauches de chaudes et tendres manifestations d'amitié. Elle influence l'ambiance des endroits où elle passe car sa gourmandise de vie, même si elle peut rebuter quelque esprit chagrin, est généreuse d'un bonheur facile. Elle aime qu'on l'aime et on l'aime tel qu'elle est, avec ses démesures et ses affabulations.

Bouche boudeuse

B.B. est enfantine, capricieuse et parfois agaçante, ce qui lui donne un charme ambigu qui appelle la tendresse. Elle vit au superlatif, colorant ses pensées et ses sentiments d'adjectifs magiques et sucrés. Elle s'évertue à chaque instant de chaque jour à enjôler son entourage et à captiver l'attention de son entourage afin que l'on s'occupe d'elle.

Son caractère est celui d'une enfant gâtée qui amuse par ses fantaisies et ses foucades, que l'on console et protège, mais qui ennuie aussi par ses changements d'humeur. Ses comportements sont à rebours : elle reste silencieuse quand on souhaite une explication et elle parle en interrompant les propos d'autrui. Elle se fâche alors contre qui s'oppose à ses exigences. Elle s'entête vite et est très vite désappointée, mais elle se console encore plus vite.

Elle a une mobilité d'expression qui surprend tant elle est rapide, mouvante et imprévisible. Elle s'indigne pour des détails, ce qui est un aveu de jeunesse de caractère et elle s'enthousiasme avec allégresse pour des imaginations, des espérances et des projets qui n'en finissent pas de se superposer sans se réaliser.

Elle est ingénue avec une sincérité désarmante. Voltaire dans *L'Ingénu* donne une plaisante définition de B.B. : « on m'a toujours appelé ainsi parce que je dis toujours naïvement ce que je pense, comme je fais tout ce que je veux... » et on pourrait compléter : « ... tout en jouant à être capricieuse, lunatique et charmeuse de mes lubies... ».

Bouche aux lèvres serrées ou pincées

B.L.S. n'est guère facile à vivre. Il est méfiant et musèle ses spontanéités. Il craint, sans raison évidente, de dire des choses qui lui nuiraient, comme il soupçonne ceux qui lui parlent de vouloir le blesser. Il vit replié sur lui-même en évitant d'être trop près des autres. Il reste sur ses gardes, attentif à ne pas laisser filtrer des expressions qui le dévoileraient.

B.L.S. n'est pas heureux car il est insatisfait. Il critique et ironise sur tout et toute chose, et il ne faut pas s'attendre à des mots tendres. Ceux-ci lui brûlent les lèvres !

B.L.S. est sérieux et d'une grande rigidité morale et mentale. Il maîtrise ses élans affectifs car les supposant non conformes à son éthique de « bonne convenance et moralité ».

Il est avare de mots gentils, parcimonieux de tendresse et inquisiteur et juge les négligences et faiblesses d'autrui.

Avec le temps, son caractère s'aigrit. Il devient récriminateur chronique et sa susceptibilité est malade. En fait, et peu le savent, il étouffe dans un corset moral, social, psychique qui l'oppresse.

Il vit dans de constants tourments car trop vite offusqué, vexé, blessé.

Cette peur des autres le rend égoïste et égocentrique. A trop vouloir être pur il est sec, à être trop prudente il apparaît froid. Et il vit en prenant grand soin de ne pas laisser vivre ses passions au grand jour et en étiolant ses tendresses.

Bouche aux lèvres pendantes

B.L.P. est morose. Plutôt taciturne, il voit la vie et vit son existence avec sérieux et pessimisme. Il est triste car il ne trouve pas de joies pour la rendre plus facile à supporter. Il est comme l'Auguste d'un conte latin qui « s'inquiétait de bien jouer jusqu'au bout la farce de la vie... ».

Il ressent un sentiment d'impuissance qui lui enlève ses illusions et abat ses enthousiasmes. Les difficultés de la vie – les siennes et celles des autres – sont vues à travers une loupe, ce qui les amplifient jusqu'à les transformer en problèmes.

Il est amer de tout et de rien, et il exprime ses désolantes biles par des faits, gestes et propos grimaçants. Même ses moments de bonheur – car il en a – sont âcres comme s'il cherchait à les empoisonner par quelque aigreur, comme s'il voulait se prouver à lui-même que son destin est bien affligeant.

Mais ces « amères ironies du malheur » peuvent être toniques comme le sont ces jus d'herbes ou d'écorces : absinthe et autres coloquintes. Il suffit à B.L.P. de les diluer afin d'en diminuer les nocivités... !

Bouche aux lèvres entrouvertes

B.L.E. est gourmand de sensations. Il est peu sélectif dans ses exigences car avide à profiter des occasions qui se présentent.

Ses humeurs ne sont pas élaborées. Il va là où il obtient de l'affection et où il recueille son pesant de satisfactions savoureuses à ses sens.

Le besoin de démontrer spontanément ses affections et à absorber celles d'autrui est fort agréable à regarder vivre car il s'exprime sans réserve hypocrite. Il vit l'instant présent sans réfléchir outre mesure.

Il est naïf et imprudent. Confondant dialogue et bavardage, communication et imbroglio, appétit et boulimie..., il s'épanche trop, manque de tact et de discrétion et avale les couleuvres qu'on lui présente, en oubliant de faire le tri entre les réalités et les rêves.

Ses sentiments ne sont pas trafiqués par des interdits et des méfiances. Il vit au grand jour de ses émotions et il a fait sienne la maxime de Colette : « Sois fidèle à ton impression première », à laquelle il ajoute « ... et à ta sensation première... » !

Bouche de travers

B. T. est contrariant. Son humour est chagrin et son ironie est grinçante. Ce qui ne plaît pas à tout le monde.

Bizarre et imprévu, on ne sait comment le prendre et le comprendre. Il n'est ni méchant ni agressif, il est vexant. Susceptible lui-même, il devrait pourtant connaître les nuances déplaisantes qui transforment un mot d'esprit en ironie blessante !

B.T. est d'une nervosité pénible, il fait montre d'impatience et d'agitation qui abîment ses relations.

B.T. souffre et la clé de sa personnalité se trouve dans la compréhension de ses souffrances. Hyperémotif, il dissimule ses inquiétudes sous le masque de la curiosité et de la mobilité. Il est capable de persévérer dans ses réalisations et de mener à bonne fin ses œuvres commencées à condition qu'il ne se sente pas agressé par des railleries et des moqueries qu'il ne peut supporter. Il a alors des réactions inattendues autres que celles qui sont souhaitables et il prend des chemins obliques pour dire ses sentiments et proposer ses idées.

Bouche aux lèvres minces

B.L.M. est sérieux jusqu'à la rigueur et volontaire jusqu'à l'intransigeance. Il surveille avec attention son style de vie – et celui de son entourage – afin que ses comportements soient conformes à des principes de moralité et de bonne conduite.

Il n'est pas sans aimer la vie, mais il analyse et dissèque les émotions et sensations qui se présentent à lui.

Froidement réfléchi, il mène à bonne fin ses entreprises et, lorsqu'il a un projet en tête, il ne laisse aucune affectivité ou imagination s'infiltrer dans la logique de ses raisonnements.

Il gèle ses spontanéités, surtout lorsqu'elles sont affectivées, et il se raidit devant les frissons des sensations qui l'animent. Il refuse de se compromettre dans des histoires où le cœur a des raisons que la raison ne connaît pas, et où le corps a des exigences que sa raison ne peut contrôler.

Son sens du devoir est développé : il accepte les

codes qui exigent de la discipline et du maintien. Malgré de sincères désirs de communiquer et de profiter de la vie, il reste sur ses faims de jouissances et cela en vertu de verrouillages draconiens et dogmatiques de ses spontanéités.

Et c'est ainsi que B.L.M. n'est pas généreux parce qu'il reste silencieux. Cela lui évite ce qu'il appelle des « malentendus affectifs ».

Bouche petite

B.P. est toute de retenue et de délicatesse. Elle est silencieuse, non qu'elle soit craintive ou qu'elle n'ait rien à exprimer, mais sa sensibilité est pudique et elle préfère garder dans le secret de son âme ses pensées et ses sentiments. Elle tait ses confidences mais avoue ses scrupules.

B.P. ne montre pas d'exigences. Elle semble peu intéressée par les sensations mais, en revanche, elle apprécie le raffinement d'une attente plus que la satisfaction d'un résultat. Elle reste dans un état d'expectative comme si elle n'était pas pressée d'exister. En réalité elle écoute, voit et concentre son attention sur l'événement du moment.

Rien ne lui échappe mais elle ne le dit pas. Elle juge secrètement et analyse avec concentration ce qui se trouve et se passe autour d'elle.

Sa délicatesse la rend indulgente et tolérante. C'est pourquoi elle est appréciée, ce qui ne veut pas dire plus qu'aimée. En effet, ses finesse et pureté d'esprit et de corps font naître du respect. On pourrait même la craindre alors qu'elle souhaite être comprise.

Le raffinement de ses manières va de pair avec une discrétion polie. Il manque à B.P. de la décontraction. La Fontaine a joliment écrit : « Les délicats sont malheureux, rien ne saurait les satisfaire. » C'est le cas de B.P. qui a tendance à faire « la fine bouche ». Dans ce cas, elle rentre dans la famille de « Ces petites gens qui ont une petite bouche et font de petits profits... ».

Bouche grande

B.G. est ambitieux. Il « embrasse » beaucoup de choses en même temps. Il a de l'assurance et une bonne confiance en lui.

Optimiste naturellement, il n'a pas peur d'entreprendre et ne craint pas les obstacles. Il est facilement dédaigneux pour qui il pense faible et médiocre. Mais il est aussi généreux pour ceux qui ont besoin d'être aidés.

Il est expressif avec ses idées et ses sentiments. Il exprime avec force ses intentions et ses décisions, et il n'apprécie guère qu'elles soient contrecarrées.

B.G. est valeureux dans le sens où les valeurs humaines, morales et intellectuelles sont, pour lui, importantes.

Il aime qu'on l'apprécie et qu'on l'estime, et que ses mérites soient reconnus. B.G. ne manque pas d'orgueil et de vanité. Ces deux exagérations sont pardonnables car elles vont de pair avec des comportements chevaleresques.

B.G. est difficile à satisfaire car ses impératifs sont affirmatifs et sa volonté sévère ne laisse pas de place à la sensiblerie.

Comme « tout est grand dans une grande âme », c'est Pascal qui l'écrit, B.G. est grand malgré lui, ce qui l'oblige à en faire trop et à accomplir des exploits qu'il n'envisageait pas.

B.G. a parfois des faiblesses du genre puérilités. Elles sont d'autant plus remarquables qu'elles sont peu nombreuses. Il est agréable de constater que B.P. n'est pas que grand !

LES OREILLES

« Fait partie de l'appareil auditif. »

Les oreilles sont à l'homme primitif ce que le sonar est au sous-marin : elles permettent de « sentir » les bruits, « voir » d'où vient le son et de détecter les dangers. Les pavillons des oreilles de nos ancêtres, grands, mobiles, décollés, permettaient d'entendre des sons que nos oreilles modernes ne peuvent plus percevoir et cela par saturation de bruits traumatisants. En voici quelques uns : marteaux-piqueurs, moteurs de motos, d'avions..., musiques tonitruantes...

A défaut d'être encore un organe sensible, les oreilles se contentent d'être le support de boucles, de pendentifs et autres breloques.

L'oreille a une position centrale sur le côté du visage. L'harmonie d'une tête peut être cassée par une implantation malgracieuse.

L'oreille a son importance par son volume. Plus l'oreille est grande, plus elle se rapproche de la membrane charnue de l'oreille de l'éléphant et de celle en conque du chat, du chien et autres mammifères.

L'oreille a son intérêt par son ourlé et ses replis qui la font ressembler à un fœtus cartilagineux.

L'oreille renseigne sur l'évolution de la sensibilité, les capacités d'esthétique, la délicatesse, l'équilibre en général, et l'harmonie des tendances.

Mais ces renseignements sont généraux et doivent être replacés dans un contexte global.

Petites oreilles

O.P. a une sensibilité inquiète. Délicat, « féminin » dans ses états d'âme et comportement, il est réceptif à toute vibration et impression.

Il est prudent dans ses faits et gestes, non par disposition innée mais parce qu'il connaît son émotivité excessive et qu'il craint des souffrances qu'il ne tolère pas.

Il affectionne paradoxalement les voluptés qui naissent de son extrême impressionnabilité !

O.P. est timide sans être timoré et vulnérable sans être faible. Il est un compromis séduisant entre le roseau de la fable, la flamme de la bougie, le délicat d'une graminée..., sans oublier la nervosité et l'impatience des êtres qui vibrent au superlatif.

Il exprime peu ses sentiments, se contentant de les suggérer. Cette réduction dans l'expression de ses états de cœur vient d'un besoin de « faire attention ». Réflexion et pointillisme, scrupule et sens du devoir, modestie et orgueil camouflés en respect... se combinent ainsi au sein de sa personnalité. Beaucoup de qualités sont en instance de s'épanouir. Elles empêchent de faire claudiquer un moi perclus d'inquiétude et invalide d'heureuse confiance en soi.

Oreilles décollées

O.D. est rebelle, indiscipliné et protestataire. Il est curieusement double car il peut être à la fois simple, facile à vivre et soudainement buté et mauvais comme une teigne. Il est sourd aux discours raisonnables que l'on peut lui faire et il ne se soumet pas aux conseils que l'on peut lui donner. Il est au demeurant agréable à fréquenter de par son originalité, à condition qu'il ne soit pas habité par des excitations trop nerveuses.

Actif et expansif, il accélère son tempo d'existence jusqu'à devenir envahissant. Dans ce cas, son esprit critique et son côté batailleur s'activent et il ne se prive pas d'user de coups de tête et autres prises de positions vindicatives.

O.D. est indéterminé se voulant indépendant. Il reste alors en suspens de ses décisions qui s'agitent.

O.D. est instinctif. Il flaire avec acuité les choses et les gens tels qu'ils sont réellement, sans vouloir s'en expliquer le pourquoi et le comment. Cette aptitude donne du poids et de la stabilité à ses pensées et à ses sentiments. Mais comme il est habité par quelque diable particulièrement nerveux, il oscille entre des réalités et des irréalités, des matérialités solides et des enthousiasmes fébriles.

Oreilles hautes

O.H. a de l'imagination et des idéaux. Il espère que ses projets et passions seront des chefs-d'œuvre dont sera bannie toute platitude.

Il formule haut et fort ses volontés qui tendent vers des buts élevés. De là des manques d'humilité préjudiciable à la véracité de ses intentions par trop imaginatives.

Il est raffiné dans ses idées et délicat dans ses affections. Mais attention, il leur faut une dose de spiritualité, un trait de fantaisie intellectuelle et un souffle d'intuition pour qu'elles lui conviennent parfaitement. Il faut reconnaître qu'il a un savoir-faire non dénué d'élégance pour captiver les esprits et charmer les cœurs.

Il est fin, perspicace et clairvoyant mais il est aussi trop susceptible et trop critique. Il s'enflamme et met en valeur des idées qui en ont peu, et cela pour satisfaire son amour-propre.

Ses ambitions sont à la limite du possible, ce qui leur donne de l'originalité et une supériorité qui flattent sa suffisance. Il vit au-dessus de ses possibilités car ainsi l'exige sa sensibilité orgueilleuse. Ce culte du surmoi lui permet de rêver sa vie et de se dépasser lui-même dans de constantes progressions. Mais aussi de se retrouver seul avec ses aspirations difficilement communicables.

Grandes oreilles

O.G. est ambitieux, confiant en lui et capable de grandes choses. Il a des capacités pour s'engager dans des travaux qu'il terminera. Il s'installe et s'impose dans le monde avec un sentiment d'assurance pleine et entière. Résistant, solide et assuré, il est commandeur plus qu'obéissant et suivi plus que suiveur. Il s'est organisé une vie qu'il « exécute debout » comme le conseille le philosophe Alain.

Il est respectueux des règles et des conventions, de la parole donnée et de celle reçue, d'où une sévérité quant à la valeur des pensées et sentiments, les siens et ceux d'autrui.

Sa sensibilité est développée mais contrôlée. Il a, en effet, assez d'énergie et de volonté pour canaliser ses émotions et pour supporter ses inquiétudes sans mot-dire ni maudire. Sa volonté est optimiste, elle lui permet de vouloir toujours mieux et d'être exigeant.

On pourrait lui reprocher en certaines occasions une trop forte tendance à exprimer ouvertement et superbement ses humeurs. Dans ce cas, il risque ce qu'un proverbe serbe dit plaisamment : « plus grosse est la tête, plus fortes sont les migraines » !

Equilibré, sûr de lui – jusqu'à ce que sa sensibilité mal électrisée lui donne des doutes sur son plein d'assurance –, ambitieux et plutôt autoritaire, O.G. est de la race des grands et des importants jusqu'à devenir éminent.

Oreilles basses

O.B. est concrète et réaliste. Elle accomplit avec exactitude ses projets et fait en sorte que ses réalisations soient solides et conformes à ce qu'elle a annoncé. Elle n'apprécie pas les imaginations qui restent en l'air et les sentiments qui font des vagues.

Elle souhaite de la consistance et du palpable en toute chose. Les raisonnements abstraits l'effrayent car son goût pour les travaux visibles et réels est alors en porte-à-faux.

Fidèle, franche, spontanée et directe, O.B. est appréciée car son bon sens est une garantie de bonne finalité des œuvres entreprises, comme son refus de se laisser emporter par des élucubrations vaporeuses est un gage de bonne exécution.

Elle aime tout ce qui prend forme : la sculpture, le bricolage, les arts plastiques, la cuisine. Elle a les mains remplies de doigts qui ont besoin de toucher pour être rassurés.

Elle recherche davantage les nourritures terrestres que spirituelles et cette centralisation sur un quotidien terre à terre peut l'entraîner vers des excès de concret qui manquent de sublime.

Mais peut-on lui reprocher d'avoir un solide équilibre ? Bien au contraire, sa solidité d'existence est fort enviable. Elle ne se pose même pas ce type de question...

DEUXIEME PARTIE

LES GESTES

LES GESTES :
UN LANGAGE NON VERBAL

Les gestes usent, mais aussi abusent, d'un langage non verbal pour communiquer une pensée, un sentiment. Il ne s'agit pas de discours parlé ou écrit – bien que les gestes s'inscrivent dans l'espace comme s'il s'agissait d'une feuille – mais d'un langage visuel, tactile, parfois sonore et toujours codé. Décrypter l'alphabet des gestes permet une connaissance du caractère de qui les faits, puisqu'à l'instant où le geste est, il y a émotion, désir, intention.

Sans qu'il puisse le soupçonner, l'être humain se révèle par ses mouvements de bras et de mains, de tête et de buste, de hanches et de jambes qui rivalisent avec son langage fait de mots, de sons et de lettres.

« Les chansons de gestes » de l'homme et de la femme doivent être écoutées et entendues car elles sont à replacer dans un contexte social et familial d'éducation et d'apprentissage.

Il est vrai que le geste – comme à l'occasion d'un exercice de chant ou de la récitation d'une pièce de théâtre – peut être gai, triste, de charme, d'amour, satirique, romantique ; il peut être juste ou faux, à mi-voix ou à tue-tête. La première observation intéresse le naturel ou le conventionnel, le spontané ou le contraint du geste en question.

Les émotions demandent à s'exprimer et le geste, par définition expressif, a pour fonction de satisfaire cet impératif. Les gestes, avec la mise en place des mécanismes nerfs-muscles, sont modelables selon l'âge, l'éducation, le milieu social, le physique...

Deux « gestes » servent de base à toutes les autres manifestations gestuelles : le geste arrondi et le geste anguleux.

Ces deux gestes peuvent s'amplifier, se contenir, s'orienter dans toutes les directions de la rose des vents, s'appesantir et s'alléger, se ralentir et s'accélérer, se combiner harmonieusement ou se désarticuler...

LES 2 GESTES DE BASE :
LES GESTES ARRONDIS
ET LES GESTES ANGULEUX

LES GESTES ARRONDIS

Un portrait

Les gestes sont en courbe, sans tension excessive, adoucis par des mouvements « en rond », infléchis et coudés du poignet et du bras. Le corps est souple, flexible. Les bras sont enveloppants, tournants, bienveillants.

Une analyse

Le caractère est aimable, adaptable.
Besoin d'aimer et d'être aimé. Manifestations spontanées de sympathie. Sens esthétique, imagination, coquetterie. L'affectivité est développée et s'exprime sous toute sorte de forme.

A l'excès, laisser-aller, paresse confortable, inconsistance, frivolité. Une amabilité doucereuse, « bontés » trop enveloppantes. Le caractère est influençable, hésitant, indolent et peu apte à des efforts soutenus.

LES GESTES ANGULEUX

Un portrait

Les gestes sont anguleux, triangulaires, pointus, décidés, cassants, agressifs.

89

Ils changent de direction avec brusquerie. Les membres, les doigts sont rigides, « accusateurs ».

Une analyse

Le caractère est décidé, courageux, sérieux. Tendance à s'imposer et à s'affirmer, ce qui ne facilite pas les contacts. Volonté prédominante. Aptitudes pour commander et faire plier les autres. Capacités d'action et d'entreprise.

A *l'excès*, caractère intransigeant, rigide, obstiné, brutal. Explosions de colère, ironies mordantes dues à des pulsions de vengeance mal contrôlées.

D'AUTRES GESTES

GESTES AMPLES

Un portrait

Les gestes prennent « de la place ». Ils s'étalent, dépassent les dimensions dites convenables. Les mouvements ont de la hauteur, de la largeur... Ils s'inscrivent dans l'espace avec amplitude.

Une analyse

La personnalité vit au superlatif. Les sentiments sont exprimés avec force manifestation. Contentement de soi. Besoins de contact. Tout ce qui est communication est essentiel. Tendance à absorber l'entourage, ce qui peut devenir fatigant, agaçant. Imagination, enthousiasme qui donnent aux relations une dimension radieuse et un épanouissement original.

GESTES CONTENUS

Un portrait

Les gestes sont disciplinés. Mouvements sobres, neutres et mesurés. Ils coïncident avec des attitudes, des vêtements, une manière de s'exprimer soignée, sans fantaisie ni couleur.

Une analyse

Personnalité timide, prudente, scrupuleuse. Se protège d'éventuelle attaque. Econome, épargnante, vigilante. Les spontanéités affectives sont freinées. Retenue excessive qui empêche les enthousiasmes d'être créateurs. Energie, volonté, fermeté développées. Elles rétrécissent les impulsions et bloquent les élans naturels.

A l'excès, égoïsme, narcissisme, égocentrisme. Sévérité, froideur, exigence.

GESTES MANIERES

Un portrait

Les gestes prennent des poses. Ils attirent l'attention par des mouvements extravagants, insolites, singuliers. Ils ont du charme, de l'originalité mais sont aussi affectés, précieux et prétentieux.

Une analyse

Caractère compliqué. Besoin de se singulariser, d'attirer les regards, ce qui enlève de la franchise et de la spontanéité.

Une touche de narcissisme, voire d'exhibitionnisme. Des dons créateurs originaux. Ne veut pas être « comme tout le monde ». Personnalité compliquée, abîmée par des sentiments d'infériorité.

GESTES VERS LE HAUT

Un portrait

Les gestes se détachent « en hauteur ». Les mains et les bras se promènent dans l'espace au-dessus de la tête, les yeux cherchent quelque chose dans le ciel...

Une analyse

La personnalité aspire à des « situations élevées ». Il peut s'agir d'idéaux, d'ambitions économiques, professionnelles, politiques, religieuses, intellectuelles... Mondain, indépendant, orgueilleux, idéaliste.

A l'excès, vanité, susceptibilité, domination.

GESTES VERS LE BAS

Un portrait

Les gestes descendent. Les bras sont ballants et retombent le long du corps.

Une analyse

Craintif, pessimiste. Les aspirations vers quelques idéaux sont inhibées, bloquées. Personnalité modeste, naïve, candide. Se contente d'une vie active, affective et sexuelle au ralenti. En revanche, vie intérieure développée.

A l'excès, dissimulation et hypocrisie. La timidité initiale devient soumission et pusillanimité. Energie, enthousiasme, dynamisme affaiblis.

GESTES VERS LA DROITE

Un portrait

Les gestes sont exécutés de préférence par la main et le bras droits.

Les mouvements s'inscrivent dans l'espace droit.

Une analyse

Sociable, généreux, optimiste, naturellement amical. S'occupe des problèmes collectifs, s'intéresse à autrui, recherche des contacts. La personnalité est portée par des idéaux sociaux, économiques, politiques...

A l'excès, caractère égoïste, accapareur. Comportement capricieux, impatient, irascible et intolérant.

GESTES VERS LA GAUCHE

Un portrait

Les gestes sont exécutés de préférence par la main et le bras gauches. Les mouvements se déplacent dans un espace situé à gauche.

Une analyse

Personnalité concentrée sur soi. Timide, réservée, égoïste. Dépendance au passé, à la famille. Affectionne les moments de solitude et de recueillement. Contacts difficiles, sélectifs. Les préoccupations individuelles l'emportent sur les collectives.

A l'excès, caractère infantile, égocentrique, capricieux, inadapté. Besoin de « conserver pour soi », ce qui va à l'encontre de contacts harmonieux.

GESTES « REPOUSSANTS »

Un portrait

Les gestes « éloignent » l'autre ou les autres par des mouvements d'arrêt : bras tendus, paumes ouvertes, mains aux doigts écartés, corps en recul, visage fermé. Le corps se positionne « en arrière », en reculant de deux ou trois pas chaque fois qu'un contact se précise. Des « blancs » sont voulus entre soi et les autres.

Une analyse

Caractère sur la défensive. Crainte de contacts qui déborderaient sur l'espace vital. Manque de confiance en soi. Timidité, sentiments de faiblesse ou d'être inférieur à...

A l'excès, égoïsme, égocentrisme. Les élans sont protégés, réfléchis, circonspects. Tout ce qui est affectivité est réprimé. Concentration sur soi-même qui dégénère en habitude de solitude et en inaptitude à accepter la société. Les humeurs à coloration taciturne expriment du mécontentement et des récriminations pour tout et pour rien.

TROISIEME PARTIE

LES GESTES TYPES

DISTINCTION ENTRE LES TICS, LES MIMIQUES ET LES GESTES TYPES...

Les psychologues, neurologues et thérapeutes des maladies du système nerveux appellent « tics », des mouvements qui, involontairement, mais d'une manière répétitive, font bouger telle partie du corps, tel membre, tel muscle du visage. Selon une formule imagée, un tic est « une caricature d'actes naturels ».

Quant à la mimique, elle est un jeu de physionomie, spontané ou non, qui amplifie un propos ou l'expression d'un sentiment. Il y a du théâtre et du mime dans ce langage gestuel qui visualise en une grimace, une simagrée, un clignement d'yeux ou une torsion de la bouche... un état émotionnel et affectif.

Les gestes types sont remarquables parce que se reproduisant répétitivement et identiquement selon les mesures d'un métronome intérieur.

Ils définissent en un cliché un trait de caractère. Ils sont d'ailleurs à l'origine de surnoms et de sobriquets.

Par exemple, le nom *galant* désigne l'homme ayant des gestes trop empressés auprès des femmes, *et Pignochette* en italien, celle qui « mange du bout des dents ».

LES GESTES TYPES : DES « CONTRE-CHARMES »

Les gestes types ont pour but de conjurer le plus efficacement possible une inquiétude. Ils font partie de la collection des « contre-charmes » et des sortilèges qui, à l'instar de certaines médecines placebo, permettent de s'accommoder de son état, à défaut de pouvoir guérir de ses malaises.

L'efficacité des gestes types est d'ordre interne plus qu'externe. Il ne s'agit pas – du moins tant que le geste type ne tombe pas dans des anomalies psychosomatiques – de déplier un membre qui risque de s'ankyloser ou de tordre une bouche dans le sens contraire d'un engourdissement.

Si un doigt passe et repasse sur les lèvres dans un geste soudain, inhabituel et unique, l'explication est à une appréhension, un doute à un certain moment pour une cause définie ou non. Par contre, si le geste est répétitif, qu'il se renouvelle et devient stéréotype, il y a un glissement de l'état d'appréhension et de doute qui n'était qu'occasionnel vers un état permanent d'inquiétude, d'insatisfaction et de crainte. Le but est de désensibiliser des phénomènes affectifs vécus douloureusement, en « faisant sortir » par une manifestation externe, l'écharde plantée dans l'inconscient.

Comment combattre les tristesses, les appréhensions et les craintes de toute nature sinon en les « exprimant », c'est-à-dire en leur donnant corps, afin que le combat souffrance-remède soit égal !

Tant qu'un doute, par exemple, n'a pas de visage précis, qu'il est occulté car enfoui sous un fatras de croyances vagues, de scepticisme et d'illusions, il reste « un doute de faiblesse » et non « de force », selon le mot d'Alain. Exprimer les doutes non plus occasionnels mais endémiques revient à user de gestes révélateurs.

PETITE COLLECTION DES GESTES TYPES PARMI LES 300 000 POSSIBLES...

BOUCHE, LEVRES

Se mordre les lèvres : Impatience. Autopunition, automutilation : « J'ai tendance à trop parler, donc je me punis. » Signal sexuel inconscient à base de morsures, d'impulsions sadiques.

Un ou deux doigts, une main devant la bouche : Besoin de se « faire muet ». Appréhension, honte et gêne de son « oralité », de ses désirs sensuels. Caprices et enfantillages.

Mordiller un crayon, une branche de lunettes, une cigarette... : Recherche de réconfort et de consolation. Besoin d'une nourriture affective. Etat de tension et de solitude ; doute de soi.

Sucer son pouce : « Faim affective ».

Faire la moue, baisser le coin des lèvres : Dédain, mépris.

Donner des baisers :	Crainte de ne pas assez « nourrir les autres » de son propre corps. Besoin d'être rassuré sur sa propre identité, valeur et utilité surtout affectives.
Tirer la langue. Laisser passer un petit bout de langue :	Insulte inconsciente, motivée par un besoin de rejeter « l'autre ». Concentration intérieure. Invitation sexuelle à partager un dialogue, un « repas affectif et sensoriel ».
S'embrasser soi-même en s'entourant de ses bras :	Recherche de dépendance, de chaleur et de consolation. Crise intérieure provenant de l'état de manque d'un « autre » corps à caresser, à envelopper. Auto-caresse, auto-érotisme substituant des attouchements espérés.

BRAS

Balancer les bras :	Sentiment d'accablement et d'impuissance. Manque de tonus, de fermeté. Neurasthénie possible.
Entourer de son bras quelqu'un d'autre, prendre le bras, la main... :	Geste ayant une résonance sexuelle. Demande de « corps à corps » et d'avance affective : « Je suis capable de vous protéger, vous consoler, former corps avec vous. »

104

CORPS

Se balancer :

Besoin d'apaisement, de protection et de tendresse. Réminiscence du balancement du corps maternel d'avant la naissance. Geste incantatoire pour charmer des inquiétudes en les endormant.

Se lover dans une position fœtale :

Besoin inconscient de retrouver une position confortable, jouissive et protégée d'avant la naissance. Refus de naître « vraiment ». Geste-sécurité contre l'angoisse d'exister.

EPAULES

Haussement d'une ou des deux épaules :

Expression de sentiment de dédain et de mépris. « La société, vous, les autres m'indiffèrent, je vous témoigne par ce geste mon désintérêt. » Ce sentiment est lié à un mécontentement de soi-même, un sentiment d'infériorité.

JAMBES

Une jambe sur l'autre :
Confiance en soi, décontraction, élégance. Ces trois interprétations sont liées à une peur de ne pas l'être assez. Un sentiment d'infériorité de base se trouve ennobli et sublimé.

Jambes serrées :
Timidité, méfiance, contraction, rigidité, égoïsme, répression. Oppression des sentiments, refus des impulsions « sexuelles ». Crainte de laisser échapper sa libido.

Jambes écartées :
« Voilà comme je suis, comme je vis, sans calcul, ni crainte ni frein... » Tendance à laisser « voir » ses sentiments, émotions et sensorialités. Spontanéité d'expression mais aussi besoin d'en rajouter afin de se rassurer.

Une cheville sur l'autre :
Désinvolture et nervosité, crainte, conformisme, élégance calculée.

MAINS

Poings fermés :

Agressivité, menace « rentrées ». Inquiétude née de sentiment de ne pas être affirmatif, combatif, capable d'empoignade de ses problèmes, de ses conflits. Aveu d'un désespoir.

Mains sur les hanches, le haut des cuisses :

Attente passive, résignation mais aussi arrogance, insolence, gouaille et défi. Geste-sécurité contre un sentiment de ne pas être vu, de ne pas être apprécié.

Mains derrière le dos :

Geste type d'observation relativement passive, de semi-repos et d'attente. Nervosité contrôlée. Suggestion de protection, de non-agression et d'aide : « Regardez comme je suis tranquille, non agressif puisque mes armes – les mains – sont cachées. »

Main sur la poitrine :

Protestation muette : « Je me sens victime de... » avec un sentiment de culpabilité. Des peurs et des culpabilités emmêlées sont enracinées dans l'inconscient.

Se frotter les mains : Besoin de purification mentale, morale, physique... Geste-rite destiné à nettoyer des inquiétudes devenues impuretés.

Main à la tête : Geste type d'attente et d'écoute de pensées intérieures. Recherche de réflexion. Egalement aveu de fatigue, de sentiment d'avoir la tête trop lourde, endolorie par des pensées pénibles, assujettissantes, accablantes.

Main aux cheveux : Geste type d'inquiétude de ne pouvoir démêler un écheveau d'idées confuses, de sentiments désordonnés. Geste d'auto-caresse supposant un manque de toucher ; érotisme et sensorialité en état de manque.

Mains dans les poches : Désinvolture.

DOIGTS

Se ronger les ongles : Automutilation. Auto-alimentation destinée à « se sentir » exister et à fusionner avec soi-même. Ces autocontacts compensent des états de manque affectif, des inquiétudes et des impatiences de ne pas recevoir de nourritures affectives.

Jouer avec une bague :	Obsession larvée d'être attaché. Idée d'une relation maître-esclave. Recherche de libération « magique » de devenir invisible comme le berger Gygès.
Se griffer les paumes avec les ongles :	Autopunition provenant de sentiment de crispation et d'agressivité refoulée. Idée qu'une « infirmité » conjurera des inquiétudes et des sentiments de manques et de désintérêts ressentis.
Toucher un bouton, une fermeture :	Etat de doute. Vérification qu'une « bonne fermeture de soi » aux autres existe bien. Besoin de rester secret, inviolable par sentiment d'infériorité, refus d'appartenir à quelqu'un, peur d'être découvert.
Triturer les doigts et faire craquer les jointures :	Nervosité cachant un besoin de « faire du bruit », donc d'exister, d'être vu, entendu et écouté. Qu'importe les sons pourvu qu'il y ait de la musique...

TÊTE

Tête penchée sur le côté : Geste de séduction inconsciente. Recherche d'attention, d'être écouté et regardé, née d'une crainte de ne pas être aimé. Sollicitation enfantine de tendresse avec des aveux de sentiment d'abandon affectif.

PIEDS

Pied tapotant, agité : Geste de nervosité et d'impatience prouvant une angoisse d'être inefficace, immobile, de ne pas pouvoir « avancer », être entendu...

VÊTEMENTS

Tirer, plier, déplier, lisser, tirer une jupe, une robe sur les genoux : Peur d'être aperçu nu ou déshabillé. Education et principes moraux entravant une certaine liberté de mouvements. Dissimulation de soi, attitude défensive et fermée née de crainte, de méfiance.

YEUX

Cligner des yeux : Angoisse de ne pas « voir clair » dans ses sentiments, ses pensées. Inquiétude de manquer de perception, de ne pas voir correctement ce qui se passe en soi. Refus d'être vu et « reconnu », par mauvaise conscience, timidité, pruderie excessive, selon l'idée que les « yeux sont le miroir de l'âme ».

QUATRIEME PARTIE

VETEMENTS, COULEURS, ACCESSOIRES, BIJOUX...

« LES HABITS NE FONT PLUS LES MOINES ET LES NONNES... »

Les vêtements, engendrés par la nécessité de se protéger du froid, du chaud, du vent et des poussières, perdirent au fil du temps leur caractère utilitaire. Ils devinrent parure en acquérant une valeur. Ce dernier mot définit le **prix** de l'étoffe, l'exhibition des mérites, dignités et qualités.

Tirer parti des étoffes et des accessoires permet de valoriser le corps.

Surtout pour les femmes. Du vertugadin et des crinolines, destinés à accentuer la rondeur des hanches, à certaines lingeries qui glorifient les seins, tous les artifices n'ont qu'un seul but : se rendre désirable. Le vêtement qui aide la femme à perfectionner son masque – c'est-à-dire l'image qu'elle souhaite donner – est un véritable trait d'union entre l'être et le paraître.

L'observation du choix d'un vêtement, la manière de le porter, renseigne utilement sur des aspects du caractère de qui les porte. Selon les légendes, Adam et Eve vivaient nus dans le Paradis terrestre. Ils furent obligés de se vêtir après l'événement de la grande séduction par le serpent. Le premier rapport vêtement/honte et habillement/péché fut créé.

Les civilisations, les époques, les religions accentuèrent la répression de la nudité, si bien que les hommes durent se couvrir. Heureusement, la transparence des tissus et l'ingéniosité des couturiers permirent de deviner – ce qui est encore plus excitant – les parties du corps qu'il était décent de couvrir.

L'actrice et la prostituée – entre autres – ont la permission implicite de montrer leur corps, alors qu'il n'appartient pas à la bourgeoise de s'y risquer sans commettre un péché de lèse-morale. Par contre, ces mêmes dames et demoiselles sont autorisées à se dénuder en maillot sur la plage, en décolleté à l'occasion de soirées mondaines, en short lors de pratiques sportives.

Il existe des statuts sociaux, sans parler des contraintes professionnelles, qui obligent l'homme et la femme à s'habiller différemment de ce qu'ils souhaitent et à se vêtir là où ils aimeraient être moins habillés.

Les corps sont pleins d'esprit lorsqu'ils se parent de vêtements dont les buts secrets ne sont donc pas ou plus seulement au confort. Certains se font envier par leur parure qui, ôtée, les ferait mieux apprécier et aimer. Mais peut-être leur suffit-il, pour être heureux, d'être rassurés dans leur vêtement comme d'autres sont bien dans leur peau !

Les vêtements merveilleux, luxueux, lourds d'apparat, de bijoux des reines d'antan ont vécu. Des suprématies sociales n'apparaissent plus dans les vêtements, sauf en des circonstances où la pompe remplaçant le pouvoir, des majestés ouvrent des sessions et des bals.

Les signes extérieurs de pouvoir, de richesse et d'appartenance à une aristocratie sociale, professionnelle, politique... sont devenus plus discrets.

Impressionnent davantage le strict, le bijou isolé, le discret-osé de bon goût, le « dans le vent », l'accessoire griffé...

« Les habits ne faisant plus tout à fait les moines et les nonnes », il est malaisé de découvrir la personnalité de qui les porte. Restent les indices...

Grâce aux vêtements, les sobres et les compliqués, ceux qui uniformisent et ceux qui individualisent, ceux qui habillent et ceux qui déshabillent..., il est possible de diagnostiquer des aspects d'une personnalité.

QUELQUES MANIERES DE SE VETIR ET DE SE DEVETIR...

VETEMENTS SOBRES, SIMPLES

- Politesse, pondération et retenue des spontanéités.
- Objectivité, clarté intellectuelle et sentimentale, franchise.
- Sens de la mesure, prudence et discrétion.
- Simplicité de comportement, refus de complication, d'affectation.

A l'excès

- Manque d'affirmation, extrême timidité, rigueur et intransigeance, sécheresse de sentiments, manque de fantaisie, d'imagination.

VETEMENTS ORNES, SURCHARGES, COMPLIQUES...

- Désir d'attirer l'attention, d'influencer, de captiver.
- Dons artistiques et créateurs.
- Habileté, séduction.
- Sensibilité aux apparences, imagination, fantaisie, indépendance d'esprit, orgueil et originalité.

A l'excès

- Estime exagérée de soi, narcissisme, besoin de compliquer ce qui est simple, coquetterie, frivolité, snobisme, extravagance, exigence, tendance aux mensonges, aux intrigues, à la mauvaise foi, camouflage d'un sentiment d'infériorité.

VETEMENTS DECONTRACTES, RELAX...

– Manière de s'imposer, décontraction, désintérêt pour le social.
– Désinsertion du collectif, besoin de se singulariser, sûreté de soi.
– Indépendance, originalité, désir de surprendre.

A l'excès

– Inadaptation, marginalité, infantilisme, laisser-aller, mauvais et faux goût.
– Inhibitions morbides, autodestruction, manque de sensibilité et de volonté.

VETEMENTS QUI HABILLENT...

– Obéissance à des conventions.
– Réservé, prudent, sur la défensive quant aux manifestations de ses sentiments, de ses problèmes.
– Besoin de se fermer à autrui, impassibilité et indifférence, tendresse non exprimée, orgueil, recherche d'indépendance, de créer une séparation entre soi et les autres.

A l'excès

– Conflits intérieurs, inquiétudes, états d'âme fragiles d'où la nécessité de « déguiser » ses spontanéités.
– Tendances égoïstes et égocentriques.
– Habileté à tromper et à produire des effets jugés sécurisants, calcul, arrière-pensées.

VETEMENTS QUI DESHABILLENT...

– Spontanéités affectives et émotionnelles, recherche de contact et de démonstrations d'intérêt.

– Pas de calcul, de feinte et de déguisement dans les comportements : « telle je suis, telle je me sens, telle je me montre ».

– Liberté d'esprit, compréhension, franchise, ouverture à tous les sentiments, les problèmes et les projets des autres, besoin de séduire, de vivre en osmose avec autrui.

A l'excès

– Manque de tact et de goût, vulgarité.

– Exhibition affective et sensuelle.

– Imprudence dans le comportement, peu de volonté, mollesse et laisser-faire, manque d'honnêteté et de conscience morale.

– Abandon et faiblesse de caractère.

A PROPOS DES COULEURS...

Le choix des couleurs traduit des intérêts inconscients. Indépendamment de la docilité à suivre telle mode qui impose un vert pomme ou un blanc gaufré, les goûts pour une ou des couleurs sont révélateurs de sentiments intimes. Les choix de couleur expliquent l'harmonie ou les conflits, les oppositions et les ambivalences entre le noir et le blanc, le nocturne et le diurne, l'opaque et le transparent de l'âme humaine.

QUELQUES TEINTES ET QUELQUES INTERPRETATIONS

Rouge

Volonté, vitalité, ambition, goût pour le commandement, foi dans ses idéaux, besoin de chaleur humaine, sensualité vibrante, goût pour l'amour-passion, agressivité possible...

Orange

Souplesse d'esprit, adaptabilité intellectuelle, équilibre contrôlé, rayonnement, pessimisme et mélancolie, recherche d'une vie intérieure, possibilité d'accès soudains d'instabilité, d'angoisse métaphysique...

Jaune

Force de caractère, dynamisme, jeunesse de cœur et d'esprit, orgueil, recherche permanente d'une vie nouvelle, de création originale, de renaissance mais aussi cruauté...

Bleu

Intelligence vive mais lucide, sensibilité, romantisme, fragilité sentimentale, amour des justes milieux, perfectionnisme, besoin de pureté et d'exactitude, inquiétude née d'un sentiment d'infini, fuite dans le rêve, égoïsme, recherche de calme, de paix, orgueil, susceptibilité, gravité...

Blanc

Recherche de pureté, d'immaculé, quête de mutation (intellectuelle, psychologique, affective...), orgueil, affirmation, disponibilité, disparition de soi, angoisse intellectuelle...

Vert

Equilibre, diplomatie, caractère paisible, rassurant, optimiste, goût pour soigner les âmes et envelopper les cœurs, colères possibles, agressivité sous-jacente, besoin de connaissances profondes, de découvrir les « choses occultes », un petit côté écologiste...

Noir

Caractère absolu, secret, étrange, capable du meilleur et du pire, tempérament passif, en attente de..., pessimisme et mélancolie cultivés, sens de la vie, de la destinée, de la fatalité, exhibitionnisme morbide, perversion, passionné en profondeur...

Marron-brun

Caractère pratique, solide, terre à terre, plutôt pessimiste et silencieux, modeste, sage et philosophe, veut sa tranquillité, agressivité cachée, possibilité de colères sadiques...

Gris

Réserve, timidité, souhait de ne pas être aperçu, caractère grisailleux, mélancolique. Recherche d'équilibre mais dans l'obéissance, goût pour les principes, les conventions, les « coutumes ». Un petit côté pessimiste par difficulté de s'identifier réellement...

LES ACCESSOIRES

Il y a les foulards qui tiennent chaud au cou, les lunettes qui permettent de mieux voir, les ceintures qui ferment un vêtement, les sacs qui contiennent le nécessaire, les chapeaux et les gants qui protègent... Il y a les accessoires dont certains ont une utilité et d'autres ne servent à rien mais qui n'en sont pas moins indispensables.

Les « mâles » ont toujours été séduits par les zébrures, collerettes, plumets, aigrettes, plumes et poils chatoyants, éclatants, odorants, mouvants... des « femelles ». Là est le vrai message d'un accessoire !

LES LUNETTES

A moins qu'elles ne soient indispensables pour améliorer la vision, les lunettes posées sur le bout du nez ou sur les cheveux, maintenues autour du cou par une chaînette ont une fonction esthétique et magique.

Les deux « yeux » concentriques, ronds, rectangulaires, ovales, blancs, rosés, bruns-solaire, et qu'importe leur couleur..., sont censés mettre en valeur les « vrais » yeux. Mais cette valorisation est différente selon les tempéraments. Certains portent des lunettes de soleil afin de donner l'illusion d'en être imprégné, ce qui suggère de la décontraction, du rayonnement.

Les lunettes aux verres très foncés, cachant les yeux à la minière de la visière d'un masque, sont significatives d'une autodissimulation qui n'est pas sans rappeler les grosses montures aux verres noirs qu'affectionnent les dictateurs, rockers et autres dominateurs. Les buts sont identiques : créer un visage immobile, aux yeux de glace, ne révélant aucun sentiment, aucune sensibilité donc intimidant puisque les émotions ne troublent pas l'image de marque.

De plus, les verres-miroirs projettent qui se regarde, au-delà de soi.

LES BIJOUX

Le premier bijou : le collier de fleurs d'Eve...

Les livres d'images nous présentent Adam et Eve se tenant par la main, heureux d'être ensemble dans le Paradis terrestre, créé pour eux. Les hanches toutes neuves d'Eve sont pudiquement voilées d'une feuille étoffée et un collier de fleurs dissimule ses seins vierges.

Or, les fleurs, même si elles ont des vertus bienfaisantes – les pensées sont bonnes pour la peau et le gui calme les rhumatismes –, même si elles disent lorsqu'on les offre, la chaleur de l'amitié et de l'amour, ne protègent guère des froidures.

De plus, les péchés n'ayant pas encore été inventés, la nudité d'Eve ne pouvait être la source de tentation impure chez son unique compagnon Adam. Il n'y avait ni indécence ni impudeur au paradis terrestre, faute de miroir et de voisin. Adam, avec ses naïvetés de nouveau-né, devait voir le corps d'Eve sans concupiscence aucune, avec des yeux indifférents et des sens inaltérables.

Alors pourquoi ce collier ?

Y avait-il déjà de la coquetterie chez Eve ? Souhaitait-elle inspirer de l'amour et faire tourner les têtes ? Mais à qui ? Son compagnon lui appartenait en propre et il ne pouvait s'enflammer pour d'autres cœurs – et corps – puisqu'ils étaient les uniques occupants des lieux.

Le collier d'Eve cachait un secret...

Mais le savait-elle elle-même que cette parure cueillie le long des hasards paradisiaques avait des propriétés magiques !

Eve devait pressentir dans les charades de sa

conscience originelle – non encore troublée par des inconsciences qui apparurent plus tard, lorsque le péché créa des refoulements, des insatisfactions et des inquiétudes entre « le bien et le mal » – qu'il lui fallait se protéger de quelque chose d'indéfinissable.

Certes le collier, comme aussi le bracelet, la bague qu'elle tressa avec des herbes et des feuilles, prouvait une attache à un ordre supérieur. Retenue dans le Paradis terrestre, ayant fait vœu d'obéissance au Maître des lieux, bénéficiant de faveurs exceptionnelles puisque divines, Eve justifiait ainsi un attachement exclusif en portant ce pentacle primitif.

Mais il y avait plus qu'un symbole d'appartenance au Paradis terrestre et plus que l'aveu d'un amour qui, pour être platonique, n'en était pas moins exclusif pour son créateur, dans cette coquetterie de se parer d'un collier.

Eve avait peur.

Elle craignait – à juste titre d'ailleurs – les foudres de son Seigneur. Pas Adam, mais Dieu le Père. Sans pouvoir le définir ni en expliquer les causes, Eve pressentait qu'elle serait chassée de ce paradis où elle jouissait d'un bonheur idéal, qu'elle serait expulsée, comme lors d'une naissance, de ce sein divin où la vie était tiède, douce, passive, protégée.

Et c'est alors que, probablement inspirée par un serpent déguisé en psychiatre – ou inversement –, elle s'inventa des moyens magiques qui auraient des effets souverains pour calmer ses inquiétudes et lui donner une puissance magique.

Et le premier bijou fut créé.

Les bijoux ne sont pas que les aveux des vanités et des coquetteries humaines...

Tout bijoutier est un magicien. Jouer avec les pierres et les métaux pour en faire des anneaux, des boucles, des bracelets et des colliers... relève de l'orfèvrerie mais aussi de la magie. Les pierres contiennent des messages, les formes possèdent des secrets, les métaux révèlent des sortilèges. Curieusement, les matériaux, qu'ils soient diamant, cristal, pierre ou métal, sont durs et froids et pourtant ils racontent des tendresses, des passions, des sentiments brûlants, comme s'ils voulaient enseigner que les extrêmes se touchent, même quand il s'agit de vanités.

Il y a dans le bijou plus qu'une création artistique et plus qu'une œuvre de joaillier, il y a sa réalisation. Celle qui a demandé, hors la dextérité nécessaire pour que le bijou soit beau, une sorte d'état de grâce, comme celui qu'espèrent les écrivains, les peintres, les artistes.

Et le bijou devient un lien magique entre deux mondes – le macrocosme ou grand monde des énergies cosmiques et universelles et le microcosme ou monde minuscule de celui ou de celle qui le porte.

Qui porte une bague, un collier, une chaîne, et qu'importe le bijou, sa valeur et son nom, fait resurgir du tréfonds de son inconscience des pépites de croyances primitives. Bien avant, il y avait le morceau d'os, l'arête de poisson, le caillou, la plume..., maintenant il y a des croix et des cœurs, des médaillons et des pendeloques, des bijoux-fées, des talismans qui sortent des coffrets à bijoux comme autant de génies s'échappant d'une boîte magique.

Et l'écrin est un sanctuaire où se trouvent les forces et les puissances du monde.

QUELQUES SIGNIFICATIONS...

De la même manière que « les armes sont les bijoux des hommes » (J. Follin), les bijoux sont les armes des femmes. Ils sont autant de moyens de séduction et de *casus amori*, de sortilèges et de charme. Ils sont aussi de troublantes, car inconscientes, déclarations de caractère.

Les bijoux ne sont pas seulement une preuve de vanité et de coquetterie, ils ont une puissance ésotérique remarquable. Pourquoi ? Parce qu'ils révèlent des aspects de la personnalité invisible et expliquent les richesses de l'inconscient.

Il y a la substance des bijoux, précieuse ou non, or ou fer, pierre fine ou bille en plastique, topaze ou cailloux... et la manière de les faire parler. Les bijoux sont pour les femmes des mots immobiles qui disent des orgueils, invitent à des accords, avouent des inquiétudes.

Des femmes et des hommes n'ont rien à demander aux bijoux, comme d'autres n'ont pas besoin de vêtements. Ils sont authentiques, vrais, nus, et ils acceptent de l'être parce qu'ils n'ont rien à cacher. Et cela par indifférence, orgueil ou simplicité.

Les bijoux sont contagieux. Leur valeur réelle et magique se communique, d'où les imitations, les modes et les sentiments involontaires de plaisir et de protection qui leur sont donnés. Peut-être, à ce sujet, y a-t-il un miracle derrière chaque bijou !

Attention cependant au vilain rôle que des coquets et coquettes demandent aux bijoux ! A savoir, être des attrape-cœurs – on dit bien des attrapes nigauds !

Le choix et le port des bijoux donnent de l'esprit à qui les portent. Les bijoux voyants, pleins de verroteries et de dorures, parlent un langage bouclé et imaginatif, brillant et faux, bruyant et naïf.

Au contraire, les bijoux sobres – il en existe – expliquent un esprit sain, clair et supérieur.

Les beaux esprits affectionnent les bijoux griffés, inattendus, qui attirent l'œil par leur paradoxe et leur sophistication.

Reste le bijou inventif, unique car artisanal, bout de bois, pépite de caillou, écaille..., chargé de souvenirs et de tout l'or du monde.

QUELQUES SIGNIFICATIONS
PLUS MAGIQUES...

L'anneau de Juliette...

L'anneau que Juliette porte au doigt, et que lui a offert son ami Roméo, cristallise des sentiments qu'ils souhaitent absolus en temps, en fidélité et en puissance amoureuse. Il marque le lien qui les unit pour le meilleur et pour le pire, la communion de leurs cœurs, de leurs esprits et de leurs corps. Mais l'anneau ainsi échangé possède une valeur magique qui leur échappe peut-être. Le bijou-alliance est l'enceinte invisible, mais cependant fortifiée, qui protège le couple en l'enfermant à l'intérieur d'un cercle symbolique.

L'anneau est le cercle tracé sur le sol où les enfants se mettent « pour ne pas être pris », le talisman qui, tout en attachant indissolublement les deux êtres qui s'aiment, leur donne un pouvoir sur les autres. Et c'est pourquoi l'anneau de Juliette a une puissance surnaturelle qui « les » oblige à ne jamais se tromper. Il est possible d'ailleurs que, si l'un d'eux se permettait une infidélité, l'anneau retourne le pouvoir magique contre l'infidèle qui ne pourrait plus alors conjurer des inquiétudes, des tourments, des obsessions.

Le collier de Christine

Christine sait-elle que le collier de perles – à moins qu'il ne s'agisse d'un massif harnais de pierreries, ou tout simplement d'une délicate chaînette dorée – qu'elle porte autour du cou possède des pouvoirs magiques !

Certes il pare et auréole son joli cou et il prouve un lien entre elle et celui qui le lui a offert. Mais, sous les significations affectives, érotiques ou contractuelles, se cache une valeur protectrice. Le collier de Christine a les assurances sécurisantes des bijoux pectoraux des grands prêtres, rois et pharaons. Ils servaient à prouver leurs qualités et leurs fonctions mais ils étaient également utiles pour protéger leurs poitrines des coups de dagues. Et le collier de Christine reflète le secret espoir d'être protégée contre toutes les agressions de la vie. Il est une réduction des armures, boucliers et cottes de mailles qui permettaient de franchir les obstacles et de donner à qui les portait un sentiment de sécurité essentiel.

Le bracelet de Marie...

Le bracelet que Marie porte au poignet a quelque pouvoir indéfinissable. Il peut être en un métal guérisseur de maux, mais indépendamment de cet usage thérapeutique, qui le classe dans la collection des joyaux-amulettes, le bijou qui encercle son bras contient des attributs magiques qui se superposent confusément. Le bracelet est la couronne miniature d'un royaume n'ayant qu'un seul roi, son partenaire « pour la vie » et deux sujets, elle et lui. Le bracelet de Marie est aussi un objet-souvenir, un bibelot-mémoire qu'elle porte d'abord par affection, qu'elle conserve par habitude et qui lui devient indispensable.

Ainsi est le bracelet de Marie, qui est devenu talisman à l'instant où, d'objet-fétiche, il a pris une importance immobile et fatale. Ce n'est pas son poids, son brillant, sa sonorité qui sont nécessaires, mais le sentiment d'être porteur – et porté – par une force impérieuse. Les lanières de cuir que les guerriers s'enroulent autour des poignets afin de les affermir, n'ont-elles pas les même rôle de protection ?

LES ANIMAUX

Dans la collection des accessoires, ou mieux des accompagnements, figurent les chiens. Ils sont là non seulement comme guides et protecteurs mais aussi comme présence amicale et fidèle, prêts à frétiller aux moindres caresses et à répondre à toutes sortes d'onomatopées. Les seules qui soient pardonnables dans leur puérilité...

On a remarqué que certains chiens ressemblent à leurs maîtres et maîtresses, à moins que ce ne soit l'inverse...

Il reste que le choix d'un animal dégage des renseignements sur le caractère de son propriétaire.

Bâtard

Qui choisit et aime son bâtard avoue une simplicité de cœur enviable et une générosité sans quête de remerciements honorifiques. Il y a également une idée de liberté dans ce choix d'un chien naturel, sans race ni famille précises. Il n'est donc pas impossible que le bâtard en question promène tout simplement des espérances d'indépendance... Attention cependant à des désinvoltures dans les comportements : la liberté à tout prix ne doit pas être asservie de mépris et d'impolitesse...

Cocker, épagneul

Ces chiens, bas sur pattes, aux jambages raccourcis, inspirent de la compassion, de la tendresse et des sentiments aussi humides que leurs yeux larmoyants. Mais ils sont aussi de solides chiens de chasse.

Qui choisit ces animaux attendrissants et rapporteurs, est sentimental et opportuniste. La confiance et la disponibilité sont ouvertes et visibles.

Une touche d'égoïsme et de complaisance pour soi-même peut compléter le portrait.

Caniche

Il est jouet en peluche, frisé ou cordé, substitut de l'ourson de la petite enfance.

Il n'est pas chien agressif, roquet aboyeur, mais boule de laine, flanelle frisée douce au toucher, fier dans ses chaussons.

La clé du choix d'un caniche n'est pas secrète. Le ou la propriétaire de ce toutou élégant, sautillant et de compagnie, est émotif, facile à vivre et à contenter, pourvu qu'il ait sa ration de gentillesse, de confort et de tendresse. Il aime l'ordre et la propreté et à des manières enrichies de séduction et, pourquoi pas, d'affectation. Le patron-patronne de ce bébé-chien apprécie d'être toiletté, bichonné, pomponné...

Berger allemand

Ce chien est d'une belle prestance, massif mais léger, résistant et agile. Il est attentif, fidèle, vigilant aux bruits et mouvements. Il est soupçonneux, jamais craintif.

Aimer cet animal, bien proportionné et intelligent, est une preuve de force de caractère et de loyauté. Attention peut-être à quelque grondement impétueux vis-à-vis des « étrangers dans la maison ».

Doberman

Son port orgueilleux et élancé, son allure élastique lui donnent un charme distant. Il est intelligent et possède une grande facilité d'adaptation. Chien policier et de garde, il est redoutable. Qui possède un tel animal avoue son orgueil, son autorité et ses besoins de domination. Aisément querelleur, histoire de discuter et de prouver sa bonne logique, le caractère n'est pas tendre. Il ne faut pas s'attendre à des tendresses : la passion et la possessivité les remplacent plus qu'il ne faut.

Et il y a tous les autres chiens :
Les terriers et les chihuahuas, les boxers et les lévriers, les spitz-loups et les bulldogs...
Mais cela est autre histoire.

LES CIGARETTES

La cigarette odoriférante – et qu'importe le parfum de son goudron ou de son miel – brûle, fume, se cendre et intoxique.

Au niveau gestuel, allumer une cigarette est plus important que de la fumer car, dans cette opération, les doigts en action sont visibles. Il y a donc l'objet, la cigarette et le geste.

L'objet est magique et les Indiens le savent bien avec leur calumet de la paix. La cigarette procure une ivresse apaisante, un temps de satisfaction intérieure, une illusion contre la nervosité. Elle est une présence chaleureuse par son « feu » et vivante par son rougeoiement et ses volutes.

La cigarette remplace le pouce et le sein de la petite enfance. C'est d'ailleurs pourquoi, un doigt, un crayon, une branche de lunettes remplacent la cigarette.

Quelques gestes...

Tirer rapidement sur la cigarette. Profiter de quelques bouffées puis l'éteindre. Laisser de longs mégots :
* Impatience, nervosité.

Tirer lentement, posément, silencieusement sur la cigarette. Eventuellement regarder la fumée s'envoler, faire des ronds :
* Tranquillité d'esprit.
Caractère détendu, tendance à la rêverie, à la réflexion.

Cigarette fichée au coin des lèvres :
* Désinvolture optimiste un peu trop voyante. Diffi-

culté de se détendre. Hyperactivité, manque de politesse, joue « les durs », un côté apparemment je-m'en-foutiste.

Utilisation d'un fume-cigarette :
• Originalité, besoin de se singulariser, manque de simplicité. A la limite, agressivité : une distance est créée entre soi et les autres, égale à la longueur des fume-cigarettes.

Cigarette tenue par l'extrémité des doigts :
• Geste esthétique, féminin, élégant. Style et raffinement.

Cigarette serrée près de la racine des doigts :
• Geste pratique. Tempérament fort, énergique, « masculin ». L'utile et le concret sont de rigueur.

Et il y a aussi les rotations négligentes du briquet entre les doigts pendant une conversation, les gestes d'ouvrir et de refermer le capot, d'allumer et d'éteindre la flamme, les caresses sur le plaqué or et les rayures...

LES PARFUMS

Les mammifères « voient » le monde et les autres avec leur nez. Les odeurs révèlent les dangers, les conforts, les nourritures, les décors familiers... ou les endroits, les êtres, les objets inconnus.

Les odeurs et parfums sont des moyens de communication qui ont le privilège de subsister après le passage de qui les porte. La personne passe, le parfum reste subtilement insaisissable, souvenir et durée mêlés. Il est normal que les odeurs *sui generis* jugées désagréables pour les narines humaines soient gommées par les parfums. Ceux-ci sont des purifiants et des désodorisants. Il y a dans l'usage d'un parfum des confidences involontaires sur la « pureté » intérieure : pureté esthétique, morale, spirituelle...

Certains aromates ont des vocations liturgiques incantatoires. La vérité du parfum se trouve dans le dictionnaire : « Un parfum est une substance qui a le pouvoir d'exciter le sens génital et de pousser au rapprochement sexuel en sa qualité d'aphrodisiaque... ».

Les parfums ont un vocabulaire. On parle d'essences absolues, d'extraits, de fonds de fixateur, d'une odeur de « tête » concrète et même du cœur d'un parfum, pour désigner l'équilibre odoriférant des différentes composantes.

Les parfums légers, « frais comme des chairs d'enfants, doux comme des hautbois, verts comme des prairies... » (Baudelaire), traduisent de la délicatesse et de la sensibilité, de la pudeur et une sentimentalité tendre, un peu naïve, une impressionnabilité aux sentiments d'autrui, un refus d'être agressif par crainte, timidité ou souriante passivité.

Les parfums lourds, entêtants, capiteux, « corrompus, riches et triomphants... » (Baudelaire), enveloppent, imprègnent et fermentent dans un humus troublant. Ils définissent une nature sensuelle, avide de sensations et de s'affirmer, y compris par des manques de raffinement.

L'exhibition parfumée avoue un besoin de paraître et d'exister par parfum interposé.

Il y a aussi des préférences pour des parfums naturels, jacinthe, lavande, géranium, patchouli..., pour des parfums synthétiques, « griffés » de main de maître par des couturiers et vedettes à la mode. Ces préférences révèlent une personnalité écologique, snob, mondaine, nature, sophistiquée...

LES CHEVEUX

Bien avant Samson, les cheveux expliquaient déjà la force et la faiblesse selon qu'ils étaient coupés ou longs. Or ils possèdent d'autres vertus et pouvoirs.

Les cheveux très longs sont un signe de puissance et d'appartenance aristocratique ou royale. Qui porte des cheveux très longs se veut inconsciemment roi ou reine ! Ce qui n'empêche pas d'être aussi romantique, intuitif, rêveur...

Attention aux cheveux longs et dénoués, coulant sur le dos, qui rappellent une Marie-Madeleine disponible et abandonnée aux désirs de qui veut bien d'elle. Il y a un indice de grande « pécheresse » dans ce choix d'une chevelure ainsi offerte.

Les cheveux très courts indiquent une soumission. Y compris à une mode ! Il y a une idée de sacrifice et de renonciation à des avantages ou prérogatives dans la « mutilation » des cheveux. Les Indiens scalpeurs et les tondeurs de têtes pieuses, à l'occasion d'entrée dans les ordres, agissaient et agissent en fonction d'une mantique dominatrice.

Les cheveux ébouriffés et épars disent un désir de vivre différemment du commun des mortels. Ils expliquent un désir de renoncer aux usages et rituels d'une vie collective et de faire fi de l'ordre social, mais aussi un souhait d'entrer dans une caste privilégiée, celle des volontairement hirsutes.

En fait, les cheveux défaits, ébouriffés, indiquent : « Je joue au sorcier et à la sorcière, et qui connaît les secrets pour jeter des mauvais sorts, donner mauvaise conscience à tous ceux qui ont des cheveux bien comme il faut ».

Il est vrai que l'image du sorcier et de la sorcière est l'antithèse de l'homme et la femme bien coiffés et bien habillés.

Il y a une Gorgone qui se cache chez la femme volontairement décoiffée !

Masquer les cheveux par un chapeau, indique un besoin de dissimuler des armes de séduction. Et cela par puritanisme, pudeur, convenance ou désintérêt de plaire, hors à soi-même.

Le port du chapeau fait intervenir, selon une formule symbolique, une idée de « chef-couvert », c'est-à-dire de l'orgueil et de la supériorité. Le chapeau est la couronne invisible d'une souveraineté manquante.

LA COULEUR DES CHEVEUX : BLONDS, NOIRS, ROUX...

Ceci intéresse les femmes

Les hommes préfèrent les blondes !

Cette affirmation qui exaspère les brunes est une excuse pour certaines – afin de conjurer ce mauvais destin de ne pas être préférées – de se faire teindre en blond ou de s'affubler de perruques couleur blé.

Choisir d'être blonde, à défaut de l'être vraiment, permet d'entrer dans la catégorie des femmes-enfants immortalisée par les stars hollywoodiennes.

La blondeur de la chevelure, accompagnée de sourcils fins et arqués et d'yeux maquillés, accentue l'aspect juvénile. Tout de suite on évoque une séduisante soumission pareille à celle de l'enfant.

Mais il n'y a pas que le désir inconscient de « rester enfant », d'être choyé, dorloté, encoconné dans le choix d'une chevelure blonde. Les archétypes de « sans défense, sans agression, docilité, tendresse inconditionnelle, émotivité à fleur de larmes... » qui entrent dans les comportements infantiles sont des excitants sexuels. D'autant plus qu'ils sont imaginés sur une jeune fille ou une jeune femme, femme-objet, femme-jouet, disponible et incapable d'agression − ce que redoute l'homme.

Les cheveux noirs ont une tout autre vocation. Blondes sont les Cendrillon, Marylin et jeunes filles en fleur de David Hamilton..., brunes sont les marâtres, les Salomé croqueuses de têtes, les femmes-femmes mûres, maîtresses et mères, les vamps dominatrices...
Certains hommes préfèrent les brunes

Les cheveux roux sont l'apanage des femmes au tempérament de feu. Encore faut-il deviner ce que cache le feu en question car il semble plus luciférien qu'angélique.
Cette teinte, qui se situe entre le rouge et l'ocre, souvent accompagnée de pastilles rousses tachetant la peau, est magique et sexuelle. Comme le soleil et les flammes, les cheveux roux illuminent, brûlent et consument qui les porte et qui les caresse des yeux, à défaut de pouvoir le faire du corps. Une femme aux cheveux roux a toutes les chances d'être passionnée, exaltante à aimer, infernale à désirer.

LE MAQUILLAGE

Deux motivations tiennent les pinceaux des fards, les houppettes des poudres et les crayons des liners.

Les fonds de teint qui masquent les rides, les points noirs, les pores dilatés et toutes sortes d'imperfections, sont destinés à rappeler le teint clair, lisse, velouté et duveteux de la peau de l'enfant. C'est pourquoi réapparaître jeune est la première espérance d'un maquillage réussi. Le masque décoratif révèle un sentiment diffus de crainte de vieillir. Les soins médicaux et esthétiques ont d'ailleurs pour but de gommer les flétrissures de la peau et d'exprimer les charmes naturels.

Le coffret à maquillage de la femme moderne comporte entre autres :
- des liners et crayons pour les yeux ;
- du fard à paupières et à joues ;
- de la poudre, du fond de teint ;
- du rouge pour les lèvres.

Cet attirail de pots, tubes, boîtes de couleurs tend à se réduire, dans la mesure où être naturelle, éventuellement bronzée, est de bon teint. « Se faire une tête » est un jeu de fête pour quelques heures couleurs de confettis.

Restent les yeux et les lèvres.

Noirs ou autres teintes, au choix de la couleur des yeux et du bon goût de qui se farde, les yeux expriment un désir de séduire en doublant la valeur attractive.

Des yeux, agrandis par un maquillage réussi, ressemblent étrangement aux grands yeux de couleur iridescente qui illuminent les ailes de certains papillons. Et de la même manière que ces taches lumineuses sont là pour attirer d'éventuels prédateurs et que les battements des ailes sont autant de battements de paupières, des yeux maquillés sont là pour séduire d'éventuels captifs.

Quant aux lèvres, elles sont rendues plus charnues et charnelles, colorées sang et feu par toute la gamme des rouges. Et pour cause puisque des lèvres charnues appellent les baisers plus qu'une mince bouche aux lèvres cendreuses.

LE BUSTE

Les formes des seins féminins n'ont rien à voir avec une fonction maternelle. Elles coïncident avec une maturité sexuelle qui se situe en moyenne vers l'âge de treize ans.

Les femmes ayant quelques années, mais pas trop, ont recours à des artifices – dont le premier, et apparemment le plus rusé pour donner des espérances aux uns et de l'imagination aux autres, est le soutien-gorge. Indépendamment bien sûr de la chirurgie esthétique. Il s'agit, le plus efficacement et invisiblement possible, de redonner aux formes alanguies de la fermeté et de la juvénilité.

Il n'est pas commun ni évident d'expliquer une personnalité par la forme des seins. Par contre, la manière dont ils sont mis en valeur, en relief et dénudés, renseigne sur l'art et la manière d'user et d'abuser de signaux sexuels.

Un argument enfantin peut être proposé : le sein étant symbole de maternité, de douceur, de protection et de nourriture, selon un cheminement élémentaire et déductif, il semble que les gros seins soient prometteurs de jouissances de tous ordres, tandis que les petits seins le soient moins. Ce qui est faux. Les formes du sein sont différentes selon les races et les individus. Du sein impertinent car dressé, au sein en forme de sac, en passant par le sein majestueux et le sein dégonflé, les interprétations se compliquent.

Reste le classique « cachez ce sein que je ne saurais voir » qui taquine, en un alexandrin, la sexualité humaine et qui, subtilement, rappelle l'intérêt inné qu'ont les hommes pour le sein maternel. Comme cet attrait s'exerce au grand dam de la susceptibilité et de la pudeur d'adulte des hommes, il est certain que les femmes peuvent en jouer et en rejouer avec impudence, cynisme, audace, discrétion, modestie, honte, habileté, perversité....

MAINS

Au bout des bras attendent des mains remplies de doigts. Avant d'être organes de tact, ce qui leur permet de caresser, palper, flatter, se tordre, prendre, se tendre, griffer, s'offrir...., elles sont de chair et d'os.

Chef-d'œuvre anatomique, les mains parlent. Elles sont petites, grandes, molles, grassouillettes, noueuses, griffues, grasses, sèches, calleuses, douces, chaudes, froides, gercées, ridées... Elles peuvent même être gantées, ce qui ne les empêche pas d'être lues.

UNE AUTRE MANIERE DE LIRE LES LIGNES DE LA MAIN...

La main explique les possibilités d'activité mais aussi cette qualité de puissance qu'illustre l'expression « avoir la mainmise ».

Deux modèles de mains peuvent servir de référence pour une analyse sommaire

La main carrée

Ses longueur et largeur sont presque égales. Elle apparaît solide, pratique, anguleuse, résistante. Les doigts sont courts, trapus et fort ainsi que bien articulés.

Elle dénote un tempérament résistant, bien attaché au concret et au matériel de l'existence. Les travaux sont accomplis avec efficacité et régularité et avec une certaine lenteur rassurante. La vigueur et la volonté sont développées.

Le caractère est fidèle, obstiné et confiant en soi.

La main ovale

Les doigts sont longs et fuselés et l'annulaire dépasse souvent l'index. Le pouce est mince.

La sensibilité est développée ainsi que les recherches d'idéaux et d'imagination. L'intelligence est fine, perspicace et intuitive.

De l'aisance et de la délicatesse dans les contacts.

Une sorte de fragilité dans les attitudes qui donne un charme indéfinissable.

Intérêt pour tout ce qui est culture et connaissances.

La vie intérieure est profonde et riche, mais peut-être y a-t-il aussi un désintérêt pour les questions trop matérielles et concrètes.

Entre ces deux mains s'intercalent la **main spatulée**, à la forme irrégulière et tordue, énergique et travailleuse, la **main conique** ayant des doigts longs et étroits, artiste et un peu paresseuse et enfin la **main noueuse**, simpliste, lourdaude et primitive.

UNE POIGNÉE DE MAINS : LE PREMIER GESTE-VERITE

Poignée de mains ferme, vigoureuse

Le caractère est décidé, ferme dans ses désirs et ses opinions. La personnalité, confiante en soi et plutôt optimiste, réalise ses projets et ses idées avec ténacité. Les sentiments et les inclinaisons sont contrôlés. La raison corrige les impacts de la sensibilité et de l'émotivité. Le sens du devoir, de la parole donnée sont développés. De l'orgueil, de l'autorité et une tendance à imposer ses critères et principes de vie à autrui peuvent durcir les rapports.

Inachevée – bout des doigts, de deux doigts

La personnalité est habile, subtile, rapide et souple. Elle ne veut pas être découverte mais sait très bien s'adapter. L'intelligence est simplificatrice, capable d'improviser des situations, voire des mensonges et des opportunités. Des dons pour la diplomatie sont possibles. A l'excès, le caractère est imprécis, capricieux, manquant de force et de volonté. Il est doué pour les subterfuges. Des dispositions pour fuir et trouver des échappatoires devant les obstacles et les responsabilités ne rendent pas les contacts très francs.

Molle

La personnalité manque de résistance et d'énergie pour s'affirmer pleinement. Les tendances sont à l'abandon, à l'indolence, à la mollesse et au lymphatique. La volonté n'est pas assez stimulante pour mener à bon terme les entreprises. Le caractère se montre trop indulgent et passif avec une fâcheuse disposition à abandonner les projets en cours de route. Un côté têtu et obstiné peut remplacer le manque de vraie volonté.

LES JAMBES

Les jambes ne sont pas seulement les organes de la marche. Elles permettent d'aller d'un point à un autre, de nouer des liens sociaux et de supprimer des distances inopportunes. Elles renseignent également sur trois points : la santé, l'obéissance à des règles de maintien et la sexualité. Ces trois unités confondues permettent quelques commentaires.

Jambes courtes, larges, « os carrés »

Obstination, force de caractère, résistance, réalisation et production, assurance et fermeté, énergie pour s'affirmer...

Jambes maigres, « os pointus »

Délicatesse, sécheresse, timidité, nervosité, agressivité, sentiment d'impuissance, tendance à l'isolement...

Jambes rondes

Sensualité, mollesse, amabilité, calme, stabilité, fermeté mais sans dureté, une certaine lenteur de réaction, bonne adaptation aux situations, bienveillance, recherche de sensations affectives...

Jambes longues

Ambition, individualité épanouie, aristocratie, vanité et recherche de l'estime d'autrui...

Il est bien évident que ces observations doivent être replacées dans l'ensemble des interprétations des autres membres, notamment bras et mains.

Il est plus simplement instructif, pour approcher une meilleure connaissance du corps de la femme, de se souvenir des phrases qu'utilise le langage courant à propos des jambes et de les faire marcher à l'occasion d'attitudes et de gestes :

- Avoir des jambes de 20 ans : « une femme alerte ».
- Faire des ronds de jambes : « une femme gracieuse qui veut plaire ».
- Traîner les jambes : « une femme fatiguée ».

Il faut enfin se souvenir que les jambes féminines sont, avec la poitrine, des attributs éminemment sexuels. Tout est dans les mystères que la longueur de la jupe ou de la robe laisse deviner ou cache.

Les vêtements fendus, les bottes, les hauts talons, les minijupes... sont autant d'artifices qui n'épuisent jamais les espérances masculines et donnent à manger à leurs imaginations.

LES PIEDS

Les pieds de femme posent un problème.

Il y a les grands pieds jugés masculins donc vilains pour une femme puisque détonnant des autres attributs typiquement féminins : galbe et rondeur des hanches et des seins... et il y a les petits pieds « à tenir dans la main » comme l'amante chinoise de Th. Gautier, féminin-pluriel puisque doubles, enfantins jusqu'à devenir jouets, coquins et objets de baisers.

Les grands pieds sont indice de fermeté et de volonté, de stabilité avec un zeste d'orgueil et de noblesse de comportement. Quant aux petits pieds, ils complètent la panoplie de la femme délicate, fragile, menue de corps et de cœur.

CINQUIEME PARTIE

ATTITUDES ET DEMARCHES

LES ATTITUDES

Il y a des gestes qui se servent de mouvements isolés, impliquant un ou deux membres.

Et il y a des attitudes moins définies gestuellement car utilisant le corps dans une globalité plus partielle et sélective. Sont alors coordonnés des mouvements multiples qui font intervenir plusieurs éléments : tête + bras + main, buste + épaule, bassin + jambe + pied...

Les attitudes, avec leurs multiples combinaisons, révèlent des tendances générales appartenant à tous les êtres humains. Les gestes, immobilisés le temps d'une observation, expliquent des particularités, des individualités.

DEUX ATTITUDES...

LES INTROVERTIS

Ils vivent à l'économie de leurs énergies et de leurs possibilités. Avant tout subjectifs, on les suppose égoïstes et égocentriques alors qu'ils sont réservés et sensibles aux impressions qui leur viennent de l'extérieur.

Ils cultivent leur jardin secret et leur for intérieur. Ils s'y réfugient à la moindre occasion car s'y trouvant à l'abri – pensent-ils – de ce qui peut être source d'inquiétudes et de souffrances. Ils aiment en secret et réservent et protègent leurs confidences, leurs opinions, leurs projets et leurs espérances. Silencieux, ils semblent rêveurs, mélancoliques, « dans les nuages ». Ils n'aiment guère participer à une vie collective, aussi ils pensent et aiment tout bas, spiritualisant secrètement leurs émotions. On dit d'eux « qu'ils gagnent à être connus » car on devine leur richesse intérieure. Mais encore faut-il qu'ils veuillent les exploiter à cœur ouvert – comme on dit à ciel ouvert pour un gisement de gemmes.

Ils hésitent avant de prendre une décision, réfléchissant à la valeur de la décision plus qu'à la décision elle-même. Ils se perdent dans des labyrinthes de pensées complexes, certes enrichissantes pour leurs spéculations intérieures, mais peu dynamisantes en résultats.

LES EXTRAVERTIS

Ils participent à la vie collective, se mêlent au monde, cherchent des contacts, sont passionnés pour tout ce qui est extérieur jusqu'au point parfois d'oublier qu'ils existent individuellement. Ils réagissent spontanément et immédiatement aux faits, idées et sentiments des autres, considérant que les événements sont à vivre sur le champ, au présent.

Ils craignent la solitude et leur pire angoisse est de se retrouver seuls, perdus dans un univers où ils s'ennuient et tournent en rond comme en une coquille vide.

Ils ont besoin de se sentir utiles et nécessaires à leur entourage, c'est pourquoi ils se dépensent sans compter pour la société. Ils sont brillants, mobiles, attachants par leur disponibilité. Ils « cherchent à être connus » plus qu'ils ne souhaitent se connaître eux-mêmes. Les méditations et autres introspections leur semblent jeux dangereux qui leur feraient perdre le contact avec leur cher public...

Ils veulent des réalités visibles et des sensations matérielles. A défaut, ils ne se sentent plus exister mais perdus dans un univers d'imaginations et de spiritualités qui leur est étrange.

Ne pouvant vivre sans les autres, puisque ne se contentant ou n'étant pas satisfaits d'eux-mêmes, ils sont influençables.

Tenant compte de ce que pense, fait et aime le monde extérieur, ils calquent leur comportement sur celui d'autrui. Cette disponibilité du type caméléon leur donne de l'adaptation, de la tolérance et un sens inné de la collaboration. Le danger est que, propulsés par des impulsions affectives, ils valorisent exagérément les personnes, les événements et les idées émises, en fonction du degré de sympathie ou d'antipathie.

QUELQUES ATTITUDES DERIVEES...

Les deux attitudes, introvertie et extravertie, servent de base à différentes manières de se comporter. Le corps dans son ensemble – et non pas l'utilisation d'un ou deux membres – intervient dans des attitudes qui définissent aisément mais superficiellement des manières d'être spécifiques.

Attitude retenue – à base d'introversion –

Mouvements contrôlés, mesurés, contenus, sobres et réguliers.

Caractère prudent, réfléchi. Sens développé de ses valeur et responsabilité personnelles Ne veut pas laisser voir ses pensées et ses sentiments. Scrupuleux, moral, facilement susceptible. La personnalité est plus égoïste que sociable. Vigilant, logique et raisonnable, vit à l'économie et à l'épargne.

Attitude compensée – à base d'introversion –

Mouvements raccourcis, précieux, corrigés. Amplifications de certains gestes (bras, main, tête par exemple...) qui compensent la fausse sobriété de l'attitude générale.

Dispose d'énergies de toutes sortes mais est insatisfait, trop puriste et perfectionniste.

Déplacement des désirs, des pulsions et des sentiments vers des intérêts intellectuels, esthétiques, religieux, sociaux... Refus d'être soi par orgueil, sentiment d'infériorité, subjectivité déséquilibrante.

Tendance à la sublimation et à la projection pouvant se concrétiser par des auto-illusions, des dévouements à base d'héroïsme ou, en négatif, par des perversions.

Attitude dynamique – à base d'extraversion –

Mouvements « avançant » avec amplitude dans l'espace.

Gestes spontanés, rapides, énergiques, optimistes.

Caractère enthousiaste, communicatif, franc. Détachement de soi-même au profit de travaux collectifs.

Aime jouer un ou des rôles sur le plan social, d'où quelques composantes de vanité. Aime le mouvement, la vie, les contacts, l'amour...

Tendance à surestimer ses forces. Besoin d'espace, d'action, d'entreprise, de réalisation. Peu de patience et de persévérance.

Difficulté à dominer l'affectivité, d'où quelques problèmes de caprices, de violence et de susceptibilité explosive.

LES DEMARCHES

Le vêtement du corps
le ris des dents
et la démarche de l'homme
font connaître quel il est.
                    SACY.

Selon les dictionnaires, la démarche peut être aérienne, assurée, chancelante, dégagée, dégingandée, digne, embarrassée, fière, légère, lente, lourde, majestueuse, mesurée, modeste, noble, timide...
Ces adjectifs sont suffisamment imagés pour se passer de démonstrations.

A l'instant où le mot vient à l'esprit, il est forme vivante et figure suggestive. Il est alors aisé de s'exercer à une caractérologie à un premier degré qui ressemble à de la poésie.
Il est écrit aussi que « la démarche féminine se distingue de celle de l'homme par des pas plus courts et des phases d'appui plus longues... » (A. Binet.) De là à déduire qu'une femme ayant une démarche ferme et énergique possède un animus prononcé, il n'y a qu'un pas...
Inversement, un homme usant de petits pas légers, feutrés, dansants, risque à son tour d'être vu efféminé. Ce qui correspond d'ailleurs à l'allure caricaturale des homosexuels mâles.

Quatre « manières de marcher » ont été retenues :
— ferme ou catégorique ;
— rapide ou accélérée ;
— hésitante ;
— lente.

Entre ces modules de base s'intercalent toutes les démarches proposées par la collection des « manières de marcher », vrai régal pour l'imagination. Et les verbes parlent autant à l'oreille qu'aux yeux :

- trottiner
- chalouper
- se dandiner
- zigzaguer
- flâner

Et il y a aussi les démarches :
à pas feutrés
à pas ouatés
à petits pas et pas étroits
à pas comptés et cadencés
à pas de loup et de tortue
à pas obliques, à pas perdus...

LA DEMARCHE CATEGORIQUE

La démarche est assurée, les pas sont fermes, précis, sans à-coups.

Le caractère est dynamique, prédisposé à l'action et à des réalisations concrètes. Qu'il s'agisse de sentiments, de propos, d'opinions ou de projets, les buts prévus et désirés sont poursuivis avec constance et fermeté.

Il ne s'agit pas de dominer les autres mais d'exécuter ses propres desseins. Le tempérament est volontaire, courageux et des efforts peuvent être maintenus jusqu'aux résultats. Une franchise un peu brutale et une rigueur de gestes accentuent une impression de dureté.

LA DEMARCHE HESITANTE

Les pas sont incertains, avec des arrêts, des demitours, des changements de vitesse et de direction.

Indépendamment de problèmes de fatigue, de maladie, d'inquiétude ou de préoccupations de l'instant, qui peuvent désorienter momentanément la démarche, de l'instabilité est à craindre.

Des indécisions troublent la continuité des sentiments et des raisonnements. Des impulsions contraires, tantôt spirituelles et imaginatives, tantôt concrètes et matérielles se suivent et s'enchevêtrent. Des doutes, des sentiments d'insécurité et des ambivalences coexistent avec des moments d'enthousiasme. La sensibilité trop fragile exagère toute chose et une timidité excessive donne des comportements flottants, des hésitations et des atermoiements. Le tempérament est nerveux et peut être facilement déprimé. Le caractère est peu sûr, inquiet, instable.

LA DEMARCHE LENTE

La démarche est posée, les pas sont tranquilles, réguliers, monotones.

Le caractère est prudent, calme et réfléchi. Pas d'enthousiasme, pas d'emballement mais une contemplation plutôt passive de ce qui se passe.

Le tempérament est lymphatique et peu impressionnable. Peu d'émotions et peu d'inquiétude... Les choses, les êtres sont vus avec sérénité. Peut-être manque-t-il un peu de courage et d'enthousiasme pour entreprendre, créer, prendre quelque risque.

Tendance à un confortable laisser-aller physique et psychique.

LA DEMARCHE ACCELEREE

Les pas se succèdent avec une certaine précipitation.

Le caractère est en vif-argent, bouillant, créatif mais aussi brouillon et trop expéditif. Du dynamisme, de l'enthousiasme permettent de franchir vite et sans dommage les obstacles. Toute forme d'activité est recher-

165

chée, y compris « l'activité pour l'activité ». Trop d'excès de rapidité avouent de l'inquiétude, de l'insatisfaction et des déséquilibres entre les désirs et les réalités. De la désinvolture, des désordres et des inachèvements dans les travaux sont à craindre. De l'hyperémotivité et des pertes de maîtrise de soi sont à surveiller.

Cet ouvrage a été réalisé par la
SOCIÉTÉ NOUVELLE FIRMIN-DIDOT
Mesnil-sur-l'Estrée

Imprimé en France
Dépôt légal : mars 1997
Nᵒ d'édition : 96178 – Nᵒ d'impression : 36219
ISBN : 2-73820970-X
335970-0